伍迪艾倫幽默故事集 II

WITHOUT FEATHERS

無羽無毛

伍迪艾倫——著

李伯宏——譯

目錄

希望是帶有羽毛之物……

——艾蜜莉·狄金生

門薩的娼妓[1]
The Whore of Mensa

身為一個私人偵探，要學會跟著感覺走。當一塊名叫沃德・巴布科克的的抖動奶油走進我辦公室，把名片放在辦公桌上時，我真該相信從脊椎躥上來的那股涼氣。

「凱撒？」他問，「凱撒・盧波維茨？」

「營業執照上是這麼寫的，」我坦率地回答。

「你得幫幫我。有人敲詐我，幫我一把！」

1 門薩（Mensa）：以高智商為加入門檻的俱樂部。

他渾身搖擺，好像倫巴樂隊的領唱歌手。我把一個玻璃杯從桌面上推過去，又給他一瓶威士忌。這是我放在辦公室裡以備與病痛無關的不時之需。「放鬆一下，跟我說說怎麼回事。」

「你……你不會告訴我太太吧？」

「對我說實話，沃德。可是我不能做任何承諾。」

他想倒一杯酒，可是從對街就能聽見玻璃杯的叮噹碰撞聲，酒也大都倒進了他鞋裡。

「我的工作是機械維修工。我做的是歡樂蜂鳴器，就是人們握手時藏在手心的有趣小機關，還負責維修。」

「所以呢？」

「講重點吧。」

「很多高階經理人都愛死了。特別是在華爾街。」

「我常常出差。你知道那種滋味——孤獨。噢，不是你想的那種。

是這樣，凱撒，我基本上是個知識分子。當然，男人想找個好身材的傻妞並不難；但真正聰明的女人可不是想找就找得到。」

「接著說。」

「是這樣子，我聽說有個年輕女孩，十八歲，瓦薩學院的學生。你出個價，她就來和你討論任何話題——普魯斯特、葉慈、人類學。思想交流。你明白我說的嗎？」

「不太明白。」

「我是說，別誤解我的意思，我太太很棒，但她不願與我討論龐德或是艾略特。結婚時我不知道。我需要一個心靈上刺激誘人的女人，明白嗎，凱撒？我願意為此出錢。可是我不想糾纏進去，只想得到一次好見好收的思想交流，完事就讓女孩走人。凱撒，我可是個家庭幸福的有婦之夫。」

「有多久了。」

「半年了。只要一有這種念頭，我就打電話給弗洛西。她是個擁有比較文學碩士學位的老鴇。她給我送來的是知識分子，明白嗎？」也就是說，他屬於見了聰明女人就失魂落魄的那種人。我真為這可憐的笨蛋感到遺憾。我猜想一定有不少像他這樣的人，渴望與異性進行一點思想交流，不惜花上大錢。

「她現在威脅要告訴我太太，」他說。

「誰在威脅？」

「弗洛西。他們在旅館房間裡裝了竊聽器，錄下了我討論《荒原》和《激進意志的風格》的片段，有些問題的確談得很深。他們要一萬塊錢，否則就告訴卡拉。凱撒，你得幫助我！卡拉要是知道她在這方面沒法激起我的興致，就活不下去了。」

老套，應召女郎勒索。我聽到傳聞說，總局的夥計們在計畫一個案子，涉及受過教育的女子集團，但迄今為止不大順利。

「替我打個電話給弗洛西。」

「什麼？」

「我受理你這個案子，沃德。不過價錢是一天五十元加上各種費用。恐怕你要修理好多歡樂蜂鳴器了。」

「肯定不會有一萬元那麼多吧，」他苦笑了一下，拿起電話撥號。

我接過電話，朝他眨眨眼。我開始覺得這個人還不錯。

很快傳來一個柔和的聲音。我跟她講了我的想法。「我猜妳能幫我安排一小時溫馨的聊天，」我說。

「當然，親愛的。你有什麼想法？」

「我想談談梅爾維爾。」

「談《白鯨記》還是談中篇小說？」

「有什麼區別？」

「價錢不同。探討象徵主義還要加錢。」

「要多少？」

「五十元。《白鯨記》是一百。你要比較梅爾維爾和霍桑？可以安排，價錢一百。」

「價錢還可以，」我跟她說，把廣場大飯店的一個房間號給了她。

「你要金髮的，還是要淺黃髮的？」

「給我來點驚喜，」我說完就掛了電話。

我刮好臉，泡上一杯黑咖啡，又翻了翻《學院教學大綱》。不到一小時，就有人敲門了。我打開房門，眼前站著一個紅頭髮的年輕人，兩條腿好似兩支奶油冰淇淋。

「嗨，我是雪兒。」

他們真內行，知道如何撩起你的幻覺。筆直的長髮、皮包、銀耳環、不化妝。

「妳穿這身裝扮走進飯店沒人攔妳，我太吃驚了，」我說，「看門的一般能看出誰是知識分子。」

「五塊錢就打發了。」

「我們開始嗎？」我示意她坐到沙發上。

她點上一支菸，直奔主題。「我想我們可以從《比利．巴德》開始，這本書可以視為梅爾維爾對於上帝施予人類的做為所進行的辯護，nestce pas[2]？」

「有意思，不過，以彌爾頓的方式解讀不是這樣。」我在虛張聲勢。我想看她是否上鈎。

「對。《失樂園》缺少悲觀主義的下層結構。」她上鈎了。

「是，是這樣。天啊，妳說得對，」我輕聲輕語地說。

「我覺得梅爾維爾以一種天真卻又複雜的方式重申了天真無邪的美

2 nestce pas：法文，「不是嗎」。

德，妳同意嗎？」

我讓她接著說下去。她頂多才十九歲，但已經嫻熟於偽知識份子的老把戲。她滔滔不絕發表想法，但都很機械刻板。我提出一個觀點，她就假裝給予回應：「噢，對啊，凱撒。是啊，寶貝，真是深刻。用柏拉圖的眼光看基督教，以前我怎麼沒這樣看？」

我們聊了約一小時，她說她該走了。她站起身，我遞出一張百元大鈔。

「謝了，親愛的。」

「之後還有更多呢。」

「你是什麼意思呢？」

我引起了她的好奇。她又坐了下來。

「假如說我想……辦個派對？」我說。

「什麼樣的派對？」

「比如我想讓兩個女孩給我解釋一下諾姆．杭士基？」

「噢，了不起。」

「妳要是不想……」

「你得跟弗洛西談，」她說，「價錢不低。」

現在該收網了。我亮出私人偵探的徽章，告訴她這是一次搜查行動。

「什麼？」

「我是偵探，甜妞。靠探討梅爾維爾來賺錢觸犯了八〇二條款，是要受罰的。」

「你這無恥小人。」

「妳最好都說清楚，小寶貝。除非妳想到阿弗雷德．卡贊[3]的辦公

---

3 阿弗雷德．卡贊（Alfred Kazin，1915-1998）：美國作家、文學評論家。

室講妳的故事。我認為他聽了不會太高興。」

她哭了。「別告發我，凱撒，」她說，「我需要錢完成碩士學位。我申請獎學金已被駁回了兩次。天啊。」

她全盤供出整個故事：中央公園西區長大。社會主義夏令營。布蘭迪斯大學。她曾是那種在「艾爾琴」或「塔莉亞」戲院前排隊等候的女孩，或是在康德著作的書頁上寫下「是這樣，確實如此」字樣的人。只是在人生道路的某一處拐錯了地方。

「我需要現金。一個女友說她認識一個已婚男人，深愛布萊克，可是太太卻不大思考。她應付不了。我說沒問題，他付錢我就跟他談布萊克。一開始我有點緊張。好多事我裝作很懂，他也不在意。我朋友說還有其他的人。噢，之前我也被逮過。有一次我在停在路邊的車裡念《評論》雜誌時被抓住。還有一次在坦格爾伍德被攔下搜查。要是再被抓住，我就三次失手了。」

「帶我去見弗洛西。」

她咬了咬嘴唇，說：「她用亨特學院書店做掩護。」

「是嗎？」

「就像用理髮店做掩護的地下賭場一樣。你一看就知道。」

我快速地打了個電話給總局，跟她說：「好吧甜心，妳沒事了，可是妳不能離開本市。」

她仰著臉望著我，很是感激。「我能給你弄到德懷特·麥克唐納讀書的照片，」她說。

「改天再說吧。」

我走進亨特學院書店。店員是個眼神很機敏的年輕人，走過來問：「買點什麼？」

「我找一本特別版的《自我宣傳》。我知道作者為朋友印了幾千本燙金封面的。」

「我得查一查，」他說，「我們有直通梅勒家的電話。」

我看了他一眼。「雪兒介紹我來的，」我說。

「噢，這樣的話，請到後面來，」他說完，按了一個按鈕。排滿書架的一面牆打開了，我如同一隻羔羊，走進弗洛西令人眼花撩亂的快活宮。

紅色短絨壁紙和維多利亞式的裝飾，說明了這裡的氛圍。面色蒼白、有點緊張的女孩子戴著黑邊眼鏡，理著短髮，一個個懶洋洋地倒在沙發上擺出挑逗的姿勢，翻著企鵝經典叢書。一個金髮女郎笑得很甜，衝我眨眨眼，朝樓上的房間擺擺頭說：「華萊士·史蒂文斯？」但是，這不僅僅是有知識深度的經歷，她們還兜售情感經歷。我瞭解到，花上五十元你就能「談得深，但不接近」。花上一百元，一位女郎就把自己的巴爾托克唱片借給你，與你一起吃飯，然後讓你看她進入焦慮發作的狀態。拿一張五十元的鈔票，你能與姐妹倆一起聽調頻廣播。拿三張鈔票你就能享受全套服務：一位淺黃頭髮、瘦小的猶太女郎會假裝到現代藝術博物館與你會面，給你讀她的碩士論文，還讓你在伊瀾餐館與她大聲爭吵佛洛伊德關於女人的看法，然後假裝自殺，自殺的方式由你來選。對有些人來說，這可是個絕好的夜晚。紐約，了不起的城市，花花世界。

「喜歡這些嗎？」我身後一個聲音說。我轉過身，忽然發現自己面對著一支點三八手槍的槍眼。我本來膽量不小，可這次栽了個筋斗。這是弗洛西，好吧，聲音還是沒變，但眼前的弗洛西是個男的。臉上戴著面具。

「你絕不會相信，」他說，「我連大學文憑都沒有。我因為成績差被退學。」

「所以你就戴面具？」

「我醞釀了一個複雜的計畫要接管《紐約書評》，但這意味著我要冒充朗奈爾．崔林。我去墨西哥做整容手術。華雷斯城有個醫生專門把人換成崔林的長相，價錢不菲。可是手術出了岔子。結果我成了奧登的模樣，聲音變得像瑪麗．麥卡錫。此後我就幹起跟法律作對的事情了。」

說時遲那時快，他還沒扣扳機，我就衝上前掄起臂肘掃過他下巴，令其仰面倒地，還奪過了他的槍。他像是一堆磚頭倒在地上。警察到時，他還在抽泣。

當天晚上，我去拜訪我的老客戶，她叫格洛麗亞，有著金黃的頭髮。她是以優異成績畢業的，不同的是她主修體育。感覺真好。

艾倫筆記選

Selections from the Allen Notebooks

以下選自伍迪．艾倫的私密筆記。筆記將在其死時出版，或在其死後出版，端看哪個先。

要在晚上好好睡上一覺是越來越難了。昨晚我忐忑不安，覺得有人意圖闖進屋裡幫我洗頭。究竟是為什麼？我不斷想像我看到的影子，到了凌晨三點，我覆蓋在椅子上的內衣看起來像是穿溜冰鞋的德國皇帝。等到我終於睡著又做了噩夢，夢見一隻土撥鼠試圖領走我抽獎得到的獎品。絕望。

＊＊＊

我確信我的肺結核越來越嚴重，我的氣喘病也是。喘息時隱時現，頭暈眼花越來越頻繁，還開始強烈的氣悶和昏厥。我的屋子潮濕不堪，我的身體總是發冷、心悸不已。我還注意到我的紙巾用完了。這一切到底有完沒完？

＊＊＊

一個故事的構思：一個男人醒來後發現他的鸚鵡當上了農業部長。他大為妒忌，舉槍自盡；可是很不幸，槍口射出的是一面小旗子，上面寫著「砰」。小旗子把他眼睛戳瞎了，這個飽受風霜的人在有生之年，頭一次體驗到像種田或坐在空氣軟管上如此簡單的生活樂趣。

＊＊＊

思考：人為何要殺生？殺生是為了吃。不僅僅是吃，還必須要有飲料。

＊＊＊

我是否要娶W女士？要是她不把名字的其他字母告訴我，我就不娶。還有她的職業，我怎麼能讓這麼漂亮的女人放棄女子競速滑輪[4]？快做決定……

＊＊＊

我又再次嘗試自殺。這次是把鼻子弄濕塞進插座。真倒楣，電線短

4 女子競速滑輪（Roller Derby）：風行於美國的團隊滑輪競賽運動，講求育樂性，激烈衝撞有如女子摔角。

路，把我彈往冰箱撞去。死亡的想法依舊揮之不去，我常常陷入沉思，總想知道死後世界是否存在，如果存在，那裡是否能夠找開二十元的大票。

＊＊＊

今天我在一個葬禮上撞見我哥哥。我們倆十五年沒見面了，但他還是和從前一樣，從口袋裡掏出一顆豬膀胱朝我頭上招呼。時光令我我更瞭解他。我終於明白他把我視作「應該斬盡殺絕的害蟲」，其實這不是氣話，而是對我的關愛。我們得面對現實：他從來就比我更聰明，更機敏，品味更高雅，受教育程度更高。可是他仍在麥當勞工作，確實讓人迷惑。

＊＊＊

小說構思：幾隻水獺占據卡內基音樂廳演奏歌劇《伍采克》。（主題鮮明，結構怎麼構思？）

＊＊＊

老天，我為什麼深感內疚？是因為我恨我父親？或許是那次帕爾馬乾酪小牛肉事件引起的。可是小牛肉在他錢包裡做什麼？我要是聽他的，就會以打帽樣營生。現在我還能聽見他說：「打帽樣那才是真本事。」我仍記得我說要以寫作為生時他是什麼樣的反應。「你唯一能寫的不過就是跟一隻貓頭鷹合作罷了。」到現在我還不明白他的意思是什麼。多悲傷的人！我第一部舞台劇《葛斯的囊腫》在呂克昂戲院首演時，他穿燕尾服、戴防毒面罩出席。

＊＊＊

今天，我望見了絢麗的日落，想到自己多麼渺小！當然我昨天也是這麼想的，可是昨天下雨。我自暴自棄，又想要自殺。這次是想湊近一個賣保險的經紀人，吸其廢氣自殺。

＊＊＊

短篇小說：某人早上醒來發現自己變成了足弓墊。（這個創意可從不同程度發揮。從心理學上說，這是佛洛伊德弟子克魯格的精髓。他從培根肉裡頭發現了性。）

＊＊＊

艾蜜莉．狄金生大錯特錯！希望不是「有羽毛的東西」。有羽毛的東西原來是我的侄子。我得帶他去慕尼黑看專家門診。

＊＊＊

我決定跟W解除婚約。她不理解我的作品，她昨天晚上說讀我的《形而上學現實批判》就想起小說《空港》。我倆吵了起來，她又提起孩子的事，但我說孩子們還太小，把她說服了。

＊＊＊

我信神嗎？媽媽出事前，我信。她被肉丸子絆倒後，肉丸子刺進了她的脾臟。她躺在床上昏迷了好幾個月，無法做任何事情，卻對著想像中的鯡魚哼唱《格瑞納達》。為什麼這個女人正當壯年，卻如此悲傷？是因為她年輕時膽敢打破陳規，頭上戴著牛皮紙袋出嫁？而且上星期我的舌頭被夾在電動打字機的滾軸裡，這讓我怎麼信神？我滿肚子都是疑團。要是一切都是虛幻，一切都不存在怎麼辦？要是這樣的話，我買地毯的錢肯定付多了。上帝要是能給我明確的表示該多好！比方說用我的名字在一家瑞士銀行存上一筆鉅款。

＊＊＊

今天和梅爾尼克喝咖啡。他跟我說他有個主意，要讓政府所有官員都打扮成母雞的模樣。

＊＊＊

劇本構思：以我父親為原型塑造一個角色，但沒有碩大的大腳趾。他被送到索邦大學去學口琴。劇終時他死了，卻從未實現自己的一個夢想——坐進與腰齊深的肉汁裡。（我設想出極好的第二幕，兩個侏儒在一堆排球中碰見一個人頭。）

＊＊＊

今天中午散步時，冒出來更多病態的想法。到底是什麼讓我與死亡糾纏不休？大概是時光。梅爾尼克說靈魂不朽，在肉身死去後還繼續存在；可是如果我的靈魂不附在我的肉身上，我相信，我所有的衣服都會太寬鬆了。噢……

＊＊＊

不必和W談分手，運氣來了，她和馬戲團一個職業小丑跑去了芬蘭。我覺得這樣最好，雖然我的毛病又犯了，開始從耳朵裡咳嗽。

＊＊＊

昨夜我把我所有的劇本和詩歌都燒了。可笑的是在燒我的名著《黑

《企鵝》時屋子著火了，於是我被名叫平丘克和施勒塞爾的兩人一狀告到法院。齊克果說對了。

超自然現象分析
Examining Psychic Phenomena

毫無疑問，是有一個看不見的世界存在。問題是它離市中心有多遠，營業到幾點？人們解釋不清的事情時常發生。有人看見了靈魂，有人聽見了聲音，還有人半夜醒來發現自己在普瑞克尼斯賽馬比賽上奔跑。我們當中許多人獨自在家時，不是會忽然覺得有隻冰涼的手搭在自己後脖子上？（謝天謝地，不是我，是別人。）這些經歷背後是怎麼回事？或者前面是怎麼回事？有人能預見未來或與鬼魂對話，這是真的？人死後還能洗澡嗎？

幸好，哥倫比亞大學知名通靈學、靈的外質學教授奧斯古．馬爾福．特韋爾格博士即將出版的《嚇唬你！》一書解答了這些問題。特韋爾格博士編纂了一部相當完整的超自然現象史，包括有念力移位，還有兄弟兩人天各一方，一人洗澡另一人忽然變乾淨如此匪夷所思的經歷。以下選了特韋爾格博士著作中最著名的一些案例，並附有他的解釋。

幽魂

一八八二年三月十六日，杜布斯先生深更半夜醒來，看到十四年前就去世的哥哥阿莫斯坐在床尾，正在撫弄小雞。杜布斯問他來幹什麼，他哥哥說別擔心，他已經死了，只是來度個週末。杜布斯問「那個世界」是什麼樣，他哥哥說有點像克利夫蘭。他說他回來是給杜布斯帶個信，告訴杜布斯深藍套裝和多色菱形花紋襪子根本不相配。

正說著，杜布斯的侍女進屋，看到杜布斯在和「一股無形模糊的氣團」說話。她說這氣團讓她想起了阿莫斯，但其長相又比阿莫斯好看一點。最後，這個幽魂要杜布斯和他一起唱《浮士德》中的一段詠嘆調。於是兄弟倆盡情唱了起來。天亮時幽魂穿牆而去，杜布斯想跟去，結果撞破了鼻子。

這似乎是幽魂顯現的一個典型例子。要是杜布斯說的可信，那幽魂曾再度出現，讓杜布斯夫人從椅子升起，在飯桌上懸了二十分鐘，然後掉進了肉湯裡。有意思的是，幽魂常常惡作劇。英國神秘主義者A·F·蔡爾德認為，這是因為幽魂知道自己已經死去，明顯地感到自卑。「鬼魂」通常與遭受不尋常死亡的人有關。比如說，阿莫斯就死得蹊蹺：一個花農不小心把他跟鬱金香中在一起。

靈魂出竅

艾伯特·塞克斯先生報告曾有以下經歷：「我正在跟幾個朋友吃餅

乾，忽然感覺到我的靈魂離開我去打電話。也不知為什麼，它打給了莫斯科人纖維玻璃公司。打完電話後靈魂回來附體，待了大約二十分鐘。當話題轉到共同基金時，它又離開去城裡閒逛。我肯定它去了自由女神像，還到無線電城音樂廳看表演。看完後它進入本尼牛排館，一頓吃了六十八塊錢。之後，我的靈魂決定回來，可是一輛計程車也招不到。最後它走上第五大道，終於回到我身上，沒錯過晚間新聞。我能感覺到它回到了我身上，因為我忽然感到一股涼氣，還聽到一個聲音說：『我回來了。給我來點葡萄乾行嗎？』」

「後來這事又發生了好幾次。有一次我的靈魂去了邁阿密度週末。還有一次，它在梅西百貨拿了一條領帶沒付錢被抓住。第四次，實際上是我的身體離開了我的靈魂，雖然只是洗了個桑拿馬上就回來了。」

一九一一年前後，靈魂出竅很常見，那時有許多「靈魂」在印度來回遊蕩，尋找美國領事館。這個現象很像是變體移位，也就是一個人突然非物質化，又在另一個地方成為物質實體。用這種方法旅行挺不錯，雖然等行李常常要花半個小時。最奇異的變體移位是亞瑟·挪內爵士洗澡時，只聽「啪」的一聲，人不見了，突然出現在維也納交響樂團的弦樂隊裡。他作為第一小提琴手在樂團裡待了二十七年，雖然他只會拉《三隻瞎老鼠》；有一天演奏莫扎特的《丘比特交響曲》時他忽然失蹤，然後出現在溫斯頓·邱吉爾的床上。

預知

芬頓·阿倫圖克先生講了這個預知的夢：「我半夜睡覺夢見我和一碟蔥玩牌。忽然夢變了，我看見我爺爺在馬路中間跟一個服裝假人跳華爾茲，就要被一輛卡車撞上了。我想喊，可是一張嘴卻發出了編鐘的聲音，我爺爺就被車輾了過去。

「我醒來時滿身大汗，跑到爺爺家，問他是不是要跟一個服假人跳華爾茲。他說當然不是，不過他想過裝扮成牧羊人嚇唬敵人。我聽了就放心走回了家，可是後來聽說老人家踩到一個雞肉三明治，從克萊斯勒大樓上摔了下來。」

做夢預見什麼事情很常見，不能說是純屬巧合。有人夢見一個親戚死了，結果真的死了。而且也不是人人都這麼好運。緬因州肯納邦克港的J．馬丁尼茲夢見自己中了愛爾蘭樂透。他醒來時，發現床已經漂流出海。

催眠

懷疑論者休．斯威格爵士報告了以下這段有趣的降神會經歷：

我們來到知名的女巫雷諾夫人家。她要我們手拉著手圍著一張桌子坐下。威克斯先生哧哧直笑，雷諾夫人就用扶乩板打他的頭。燈都關了，雷諾夫人使勁要與馬普爾斯夫人故去的先生進行對話。馬普爾斯先生是在歌劇院裡鬍子著火死去的。以下是對話的忠實記錄：

馬普爾斯夫人：妳看見什麼了？

女巫：我看見一個男的，藍眼睛，頭戴風車帽。

馬普爾斯夫人：那是我丈夫！

女巫：他的名字叫……羅伯特。不對，叫……理查德……

馬普爾斯夫人：昆西。

女巫：昆西！對了，是昆西！

馬普爾斯夫人：還有別的嗎？

女巫：他禿頭，但常在頭上放些樹葉，好不讓別人注意到。

馬普爾斯夫人：對了，就是這樣！
女巫：不知怎麼，他身上有件東西……是塊里脊肉。
馬普爾斯夫人：那是我給他的結婚紀念禮物。妳能讓他說話嗎？
女巫：講話，幽靈，講話。
昆西：克萊兒，我是昆西。
馬普爾斯夫人：噢，昆西！昆西！
昆西：妳燉雞時要用多長時間？
馬普爾斯夫人：是他，就是這聲音！
女巫：大家都集中精力。
馬普爾斯夫人：昆西，他們對你好嗎？
昆西：還不錯，就是洗的衣服得等四天才送回來。
馬普爾斯夫人：昆西，你想我嗎？
昆西：啊？呃，噢，是啊。當然，寶貝。我得走了……

女巫：我留不住他，他消失了……

這個降神會通過了最嚴格的可信測試，除了一個小例外，就是在雷納夫人的衣服下發現一台留聲機。

無庸置疑，這次降神會的一些事情是真實的。有誰不記得西比爾·希萊斯基那次出名的事件？當時她的金魚唱起了她剛去世姪女喜歡的《迷人的節奏》（I Got Rhythm）。但是與死者對話挺難的，因為大多數死者都不願講話，願意講話的又說得不著邊際。作者曾見識過一個桌子升了起來。哈佛大學的喬舒亞·弗利格博士參加過一次降神會，不僅看到桌子升起，還見它起身告辭到樓上睡覺。

千里眼

阿基利斯．朗德斯是知名的希臘通靈者，他身上發生過最驚人的超常感應事件。他十歲時發現自己擁有「非凡能量」，躺在床上全神貫注，能讓父親的假牙從嘴裡掉出來。鄰居家的丈夫失蹤了三個星期，朗德斯告訴他們去爐子裡找，結果人正在爐子裡織毛衣。朗德斯可以盯著一個人的臉後，將其顯像在一卷柯達膠卷上。雖然他還不能迫使人笑起來。

一九六四年，他被請去協助警察抓拿「杜塞爾多夫勒喉犯」。這個殺人魔王總是在被害者胸前留下一份熱烤阿拉斯加。朗德斯只聞了一條手帕，就帶領警察來逮補西格弗里德．倫茲，此人是一所聾啞火雞學校的工友．倫茲面前。他承認自己是兇手，並請求把手帕還給他。

許多人都擁有通靈能力，朗德斯只是其中一個。羅得島新港鎮的通靈者C．N．傑羅姆聲稱，他能猜出一隻松鼠想到的任何一張牌。

預言

最後，我們見識一下十六世紀的阿里斯托尼蒂斯伯爵，他的預言至今仍令即便是最鐵齒的懷疑論者眩目困惑。其典型預言如下：

「兩個國家將開戰，但戰勝國只有一個。」

（專家們認為，這大概是指一九四〇年至一九五〇年的日俄戰爭。

考慮到這預言作於一五四〇年，實在令人震驚。）

「伊斯坦堡的一個人要做帽樣，卻被弄壞了。」

（一八六〇年，鄂圖曼帝國一勇士阿布．哈米德把帽子交給人去清洗，送回來時上面都是污點。）

「我看到一個了不起的人，將為人類發明一件衣裝，用來在做飯時圍在褲子外面，名字就叫『圍衣』或是『圍君』。」

（阿里斯托尼蒂斯說的當然是「圍裙」。）

「法國將出現一位領袖，個子很矮，但造成的災禍卻很大。」

（這是指拿破崙，或是指十八世紀圖謀把蛋黃醬抹在伏爾泰身上的侏儒馬塞・呂梅。）

「新世界將有一個地方叫加利福尼亞，有個約瑟夫・考頓的人將變得有名。」

（不解釋。）

幾段不太有名的芭蕾舞劇簡介

A Guide to Some of the Lesser Ballets

《德米特里》

芭蕾舞劇以歡宴開場。宴會上上有吃有喝，還有旋轉木馬。好多人身穿鮮艷的服裝，隨著笛子和木管樂器的旋律跳舞歡笑；當長號以小調吹奏，預示著茶點即將告罄，人人將會死去。

名叫娜塔莎的漂亮女孩在遊樂場裡遊蕩。娜塔莎很傷心，因為她父親被派到喀土穆去打仗，可是那裡並沒有戰事。隨後上場的是個名叫李奧尼德的年輕學生。他很害羞，不好意思和娜塔莎講話，可是每天晚上都在她家門前台階上放一盤綜合綠葉沙拉。娜塔莎被禮物打動，想見到送禮的人，尤其是她不喜歡家常沙拉醬，而是喜歡羅克福乾酪。

李奧尼德正想寫情書給娜塔莎，從摩天輪上跌下來，兩名陌生人因此相遇，娜塔莎將他扶起，兩人跳起雙人舞，舞畢，李奧尼德為了討好娜塔莎拚命轉動眼珠，直到被送到護理站。李奧尼德大表歉意，提議去第五號帳篷看木偶戲。這份邀請證實了娜塔莎腦子裡的想法：這人是個蠢貨。

不過木偶戲倒是挺好看。一個名叫德米特里的有趣大木偶愛上了娜塔莎。娜塔莎意識到他雖然只是個木偶，但他有靈魂。當他提議以某某先生和某某夫人的名字到旅店開房時，娜塔莎興奮起來。兩人跳起雙人舞，儘管她剛剛跳過雙人舞，而且還汗流浹背。娜塔莎向德米特里表達了愛慕之情，發誓兩人永不分離，即使提線的人要睡在客廳的簡易床上。

被木偶橫刀奪愛的李奧尼德怒氣大發，朝德米特里開槍。但德米特里沒死，而是出現在商貿銀行的屋頂上，拿著一瓶空氣清香劑大喝起來。場面變得混亂，當娜塔莎撞裂頭骨時，贏來觀眾更多的笑聲。

《祭祀》

一段美妙的序曲敘述著人與大地的關係，以及人為何總是被捲起來埋入其中。布幕升起，顯示出廣闊原始的荒原，有點像紐澤西的某處。男女分坐兩邊，隨後開始跳舞。但人們不知為何跳舞，很快又坐了下來。一身強力壯的年輕男子上場，跳著火之讚歌。突然，他發現身上起了火。火撲滅後他滑步下場。接著舞台一片漆黑，人向自然發起挑戰——在激烈的衝突中自然的臀部被咬了一口，導致接下來的六個月內，氣溫從未高於十三度。

第二幕開始，儘管已是八月下旬，春天尚未來臨，誰也不知道何時該提前設定時鐘。部落長老一起商議，決定向自然獻祭少女。一名處女被挑中。她被告知要在三個小時內到鎮外參加維也納烤香腸活動。當晚少女出現，問起香腸在哪裡。長老令其跳舞，要一直跳到死。少女哀求，告訴長老她不大會跳舞。村民們堅決要她跳。音樂漸強，少女瘋狂地旋轉，產生的巨大離心力導致她牙齒的銀質填充物遠遠飛越足球場。人們歡欣鼓舞，但高興得太早了，不僅春天沒來，兩位長老還被控用郵件詐騙，吃了傳票。

《魔咒》

序曲以銅管樂歡愉展開，但是低音提琴好像在私底下提醒人們：「別聽銅管樂的，銅管樂知道個屁？」布幕升起，舞台上是西格蒙德王子的宮殿，金碧輝煌而且有房租管制[5]。這是王子的二十一歲生日。他打開禮物，卻愈發沒興致，因為大多數都是睡衣。他的老朋友一個個前來祝賀，有的面朝他，他就和他們握手；有的背朝他，他就拍拍他們後背。他和老友沃夫施密特敘舊，發誓只要一人變禿，另一人就要戴假髮。眾演員群集跳舞，準備狩獵，直到西格蒙德問道：「打什麼獵？」誰也不清楚，但是歡鬧的排場已搞得太大，等賬單送來時，更是令人震怒。

厭倦了生活的西格蒙德，一路舞到湖畔，對著水中自己完美的倒影足足凝視了四十分鐘，因沒帶刮鬍刀而感到惱火。忽然，他聽見翅膀拍打的聲音，一群野天鵝從月亮前飛過。天鵝右轉彎飛向王子。西格蒙德吃驚地發現，領頭的天鵝是一半天鵝一半女人；很不幸，是左右各一半。西格蒙德迷上了她，小心不開任何關於飛禽的玩笑。兩人跳起雙人舞，舞蹈以西格蒙德背向後仰結束。天鵝女伊薇特告訴西格蒙德，她被

5 房租管制（rent-controlled）：以公權力限制房租漲幅，保護弱勢租屋者的政策。

一個叫馮・埃普斯的魔術師施咒；而且因為她的樣子，幾乎無法申請銀行貸款。她跳起難度很高的獨舞，以舞蹈語言解釋說，解除馮・埃普斯咒語的唯一辦法是讓她的愛人去秘書學校學速記。雖然西格蒙德厭惡上學，但他仍發誓會去。突然，馮・埃普斯身穿昨天的髒衣服出場，把伊薇特帶走。第一幕劇終。

第二幕開始，一週之後。王子就要與賈斯婷，一個他根本記不起來是誰的女子結婚。西格蒙德心情焦慮，因為他仍然愛著天鵝女。可是賈斯婷也很美，沒有大的缺陷，像羽毛或長喙什麼的。賈斯婷圍著西格蒙德跳舞，極盡風情；可是西格蒙德卻在左思右想，不知是該結婚還是找到伊薇特，再請醫生們想點辦法。銅鈸震響，魔術師馮・埃普斯出場。可是實際上沒人請他參加婚禮，但他保證不會吃太多。西格蒙德怒火中燒，拔出利劍，刺進馮・埃普斯的心臟。這使賓客們大為掃興，於是，西格蒙德的母親命令廚師先等一會再把烤牛肉端出來。

與此同時，沃夫施密特為西格蒙德找到了伊薇特。他說這很容易，「漢堡這地方能有幾個半女人半天鵝的？」儘管賈斯婷殷切懇求，但西格蒙德還是奔向伊薇特。賈斯婷追過來親吻他；此時，樂隊奏起小和弦，我們才看出西格蒙德的舞蹈服穿反了。伊薇特哭泣說，解除魔咒的唯一辦法，就是去死。於是出現了所有芭蕾舞劇中最感人、最壯美的一幕：她徑直朝一堵牆撞去。西格蒙德看著她的身體從天鵝變作女人，才認識到生命的悲喜交織，尤其是對一隻飛禽而言。他傷心至極，要隨她而去。在一段纖美的舞蹈之後，他吞下了一個槓鈴。

《捕食者》

這齣著名的電子芭蕾舞或許是所有現代舞中情節最突出的一場。序曲由當代聲響組成——街頭噪音、鐘錶的滴答聲、小矮人在梳子和餐巾紙上演奏《霍拉斷奏曲》。大幕開啟，舞台空蕩無物。過了幾分鐘仍毫無動靜。布幕垂下，中場休息。

第二幕開始，台上鴉雀無聲。幾個年輕人跳上舞台裝扮成昆蟲。領舞者是一隻普通的蒼蠅，其他演員則扮演各種園林害蟲。他們隨著亂糟糟的音樂扭扭晃晃，找尋一顆緩緩出現在背景上的巨大奶油餐包。他們正要去吃，卻被一群攜帶殺蟲劑的女人給打斷。雄蟲驚慌失措要逃跑，但被關到鐵籠裡。籠裡無書可讀。女人圍著籠子跳舞，舞姿放蕩，她們準備一旦找到醬油就吃掉雄蟲。女人正準備大快朵頤時，一個年輕女孩注意到一隻觸角下垂的孤獨雄蟲。她貼近他，兩個演員隨著法國號緩緩起舞；他在她耳邊輕聲說：「別吃我。」兩者陷入愛河，精心謀劃要逃出去結婚。但是，女人改變主意把雄蟲吞了，與室友同居。

《一頭鹿的一天》

布幕拉起時，動聽的音樂讓人心醉。夏日午後的森林。一隻小鹿在跳舞，緩緩吃著樹葉。牠懶洋洋地在柔軟的葉子中間穿行。接著，牠開始咳嗽，倒地死去。

死海古卷
The Scrolls

學者們會記得，幾年前一個牧羊人在阿卡巴灣遊蕩時撞見一個洞穴，裡面有幾個大陶罐，還有兩張冰上表演的入場券。陶罐內有六卷羊皮紙，上面寫著誰也看不懂的古文字。牧羊人愚昧無知，把羊皮卷賣給了博物館，每張七十五萬美元。兩年後，這些陶罐出現在費城一家當鋪，一年後，牧羊人也出現在費城的當鋪。但陶罐和牧羊人都無人贖買。

起先，考古學家推定羊皮古卷的時間為公元前四千年，或是以色列人被其恩主屠殺之後。上面的文字混合了蘇美文、阿拉姆文和巴比倫文，似乎是一個人花很長時間寫成的，或是共穿一套衣服的幾個人寫的。如今，羊皮古卷的真實性受到嚴重質疑，尤其是因為文字中幾次出現「奧茲摩比」的字樣，最終譯出的幾段文字，是用相當可疑的方式描述人們熟悉的宗教主題。不過挖掘專家A．H．鮑爾指出，雖然這些文字好像全係偽作，這大概是除了在耶路撒冷的墳墓發現他的袖扣那次之外，歷史上最偉大的考古發現了。以下即是幾段譯文。

第一段：

上帝與撒旦打賭，要試試約伯的忠誠度。上帝好像無任何理由就打約伯的頭，又打他的耳朵，把他推進黏稠的醬中，使約伯身上又黏又髒。上帝殺死了約伯養的十分之一的牛。約伯喊道：「汝為何殺吾牛？牛很難飼養。我現在牛少多了，我甚至不知牛是何物。」上帝拿出兩塊石板夾住約伯鼻子。約伯妻子見狀後哭了起來。上帝派出慈悲天使用馬球棒在她頭上塗油，還送去了十種瘟疫中的前六種。約伯很傷心，他妻子很氣憤，把衣服租了出去，提高了租金，卻又拒絕上色。

不久，約伯的草場也乾枯了。他的舌頭黏到上顎，結果若不大笑就說不出「乳香」一詞。

一次，上帝正在大肆折磨他忠誠的僕人，可是離得太近，被約伯一把抓住脖子，說：「哈，抓住了！汝為何如此折磨約伯？呃？說呀！」

上帝說：「噢，你看，那是我脖子……能不能放開手？」

約伯毫不心慈手軟，說：「你來之前，我一直過得挺好。我有許多沒藥樹和無花果樹，有一件色彩繽紛的外衣、兩條花花綠綠的褲子。現在你看。」

上帝開口說話，如雷聲隆隆：「我造天造地，還要為汝解釋我如何行事？汝造何物，敢質問於我？」

約伯說：「這不是回答。對一個全知全能者，讓我來告訴你，我也不是無知。」說罷，約伯跪下，向上帝哭泣道：「您是天國，是力量，是榮耀。您有份好工作。別搞丟了。」

第二段：

亞伯拉罕半夜醒來，對獨子以撒說：「我做了個夢，夢見上帝說，我必須把獨子獻祭。所以你穿上褲子吧。」聽此，以撒全身發抖著說：「那你說了什麼？我是問，在他提起這件事的時候。」

「我能說什麼？」亞伯拉罕說，「凌晨兩點鐘，我只穿內衣站在造物主面前，我應該跟他頂嘴嗎？」

「那他說沒說為什麼要把我獻祭？」以撒問父親。

但亞伯拉罕說：「虔信的人不問為什麼。咱們走吧，我明天還有好多工作。」

撒拉[6]聽到亞伯拉罕的打算，生起氣來，說：「汝怎知那是上帝，還是喜歡惡作劇的汝友？上帝不喜歡惡作劇。誰要是惡作劇，上帝就把誰送到其仇敵那裡，付不付運費都無所謂。」

亞伯拉罕回答道：「因為我知道是上帝。是那種低沉渾厚的聲音，抑揚頓挫；沙漠裡沒人有那種懾人的聲音。」

撒拉說：「汝願意做此無稽之舉？」但亞伯拉罕跟她說：「說實話，我願意。因為質問上帝的話是極為糟糕的事，尤其是考慮到現在的經濟情況。」

於是他帶著以撒到了一個地方，準備獻祭，但到最後一刻，上帝攔住了亞伯拉罕的手說：「汝怎可以做出此事？」

亞伯拉罕說：「可是您說……」

「別管我說什麼，」上帝說，「汝什麼瘋主意都聽嗎？」亞伯拉罕

6 撒拉：亞伯拉罕之妻。

說：「呃，不一定……不聽。」

「我開玩笑的，讓汝把以撒獻祭，汝馬上就去做。」

亞伯拉罕跪下說：「您瞧，我從來不知道您何時開玩笑。」

上帝如震雷般地說：「毫無幽默感。難以置信。」

「可是這不也證明我愛您嗎？我願意憑您一個怪念頭就把獨子獻祭給您。」

上帝說：「這證明有些人什麼愚蠢的命令都執行，只要是發自一個低沉渾厚的聲音。」

說罷，上帝令亞伯拉罕去休息，隔天再來。

第三段：

話說有人賣襯衫，但生意清淡，手頭的商品一件也賣不出去，他也未能發財。於是他祈禱：「主啊，汝為何讓我如此受難？我的所有對手都能賣出東西，偏偏我不行。現在正值旺季。我的襯衫都是好襯衫。你看看這人造絲。我這有正式襯衫、尖領襯衫，但就賣不動。可是我始終遵守戒律。我弟弟賣童裝能賺錢，我為何就不能掙錢餬口？」

上帝聽了說：「說到汝之襯衫……」

「是，我主，」此人跪了下來。

「在口袋上方縫上一條小鱷魚。」

「抱歉，我主？」

「照我說的去做。保證你不後悔。」

於是，此人在他所有襯衫上縫上了一條小鱷魚標誌。呼啦啦，他的襯衫銷售一空。他甚是歡喜，而他的對手們則哭天搶地、咬牙切齒，有一位說：「上帝仁慈。他讓我躺在綠草地上。可是問題是我起不來了。」

法則與寓言

做令人厭惡之事乃違法之舉；尤其是戴著吃龍蝦的圍巾時做出令人厭惡之事。

獅子和小牛可以躺在一起，但小牛勢將難以入眠。

躲過刀劍或饑荒者，定躲不過瘟疫，所以為何還要費心刮鬍子？

心術不正者，大概明白些什麼。

熱愛智慧者均為君子；與禽類為伍者均屬怪人。

上帝，我的上帝！您最近做了些什麼？

早期隨筆
The Early Essays

以下是伍迪．艾倫的幾篇早期隨筆。沒有晚期隨筆，因為他的見解枯竭了。或許隨著年齡的增長，艾倫將更加懂得生活，並將付諸筆墨，然後就退到臥室，不再出門。艾倫的隨筆有如培根，簡潔且充滿實用智慧，但因篇幅有限，無法編入他最深刻的言論：《看向光明的一面》。

論夏天看見一棵樹

大自然所有奇景中，或許數夏天的一棵樹最為突出，可能只有打著節拍唱歌的麋鹿能超過它。看那樹葉，多麼翠綠，多麼茂密（若非如此，必定有誤）。看那樹枝直刺天空，好似在說：「我雖只是樹枝，但我也想領取社會福利。」而且樹的種類是那樣多！這是棵雲杉還是楊樹？或是一棵巨大的紅杉？都不是，恐怕是威嚴的榆樹。於是你又再次出糗。當然，你若是大自然造就的啄木鳥，一分鐘之後便能分辨所有樹種，但那就太晚了，你永遠也發不動你的車。

可是一棵樹為何會比一條潺潺流過的小溪，或是任何潺潺作聲的東西都心曠神怡？因為它輝煌的存在無聲地印證了有一種比地球上任何事物，也定比當前的政府官員都更偉大的智慧。如詩人所述，「惟上帝方能造樹」，這大概是因為實在難以琢磨如何把樹皮貼上。

從前一位樵夫要伐樹，突然看到樹上刻著一個心形圖案，裡面有兩個名字。他把斧頭放下，拿鋸子把樹鋸倒。這個故事含意何在，我不理解，但六個月後樵夫因教一個侏儒羅馬數字而被罰款。

論年輕與年老

檢驗成熟的真正標準不是年紀，而是猛然發現自己身穿短褲在鬧區醒來時如何反應。年齡什麼關係？尤其是你租住在房租管制的公寓的話。有一點要銘記在心：人生每一階段都有相應的饋贈，而且人死後將很難找到電燈開關。巧得很，關於死亡的主要問題是，人們害怕死後再無來世——這著實令人氣餒，尤其是對那些費力刮臉的人來說。同樣令人害怕的是，即使有來世，但沒人知道在哪裡。看得開一點，世上只有幾件事情躺下即可輕而易舉完成，死亡便是其中之一。

請想一下：年老真的那麼可怕？倘若你認真刷牙，就不可怕！年齡不可逆轉地增加，為何沒有緩衝區，例如印第安納波利斯市中心的一家好旅館？噢，算了。

總之，最好的辦法是舉止符合自己的年齡。你若是十六歲或不足十六，那就別禿頭。反過來，如果你年過八十歲，那最好的方式是抓著一個牛皮紙袋蹣跚上街，嘴裡嘟噥著「凱撒要偷我的繩子」。切記：一切都是相對的，或者應該是相對的。否則，我們必須重新開始。

論節儉

人生在世，存些錢款極為重要。絕對不要把錢花在梨飲料飲料或純金帽子這樣的蠢事上。錢非萬能，但要勝於僅有健康的身體。人們畢竟不能走進肉店，跟屠夫說：「看看我皮膚曬得多健康，我還從來沒感冒過。」然後就期望他遞給你任何食品。（當然除非屠夫是個白痴。）錢勝過貧困，即使僅從財務角度看也是如此。錢買不到幸福。以螞蟻和蚱蜢的例子來說：當螞蟻在工作和儲存食物時，蚱蜢整個夏天都在嬉戲。到了冬天，蚱蜢一無所有，可是螞蟻卻喊胸口痛。昆蟲的生活很艱苦，也不要以為老鼠的日子好過。問題的要點是，如俗話所說，雞窩裡總需要備有雞蛋，但穿著一身好衣服時不能去掏。

最後要記住，花兩塊錢比存一塊錢要容易。千萬小心，投資時要躲開合夥人中有名叫法蘭奇的證券公司。

論愛情

愛上他人好，還是被他人愛上好？若是你的膽固醇指數高過六百，就都不好。當然，論及愛情時，我是指浪漫愛情，即男女之間的愛，而非母子之間的愛，或是小孩與小狗之間的愛，或兩個服務生領班之間的愛。

當人墜入愛河時，便有唱歌的衝動，這太美妙了。但必須盡全力遏制這一衝動，還要注意別讓熱情充沛的男子「念」歌詞。被人愛上自然不同於受人崇拜；因為你可以從遠處崇拜某人，但要是愛上某人，就要與其同處一室，縮在窗簾後面。

若要誠心誠意地去愛人，就必須堅強又溫柔。要多堅強？我覺著能舉起五十磅就可以。還要記住，在情人眼裡對方永遠是最美的，雖然在旁人眼裡可能和魚蝦沒什麼區別。情人眼裡出西施。情人的視力若有問題，也可以問身旁的人哪個女孩長得好看。（實際上，最漂亮的也幾乎總是最乏味的。所以，有些人覺得世上沒有上帝。）

「愛的美妙轉瞬即逝，」吟遊詩人唱道，「可是愛的痛苦卻與世長存。」這首歌幾乎流傳開來，只是旋律太像《我是洋基花花公子》（I'm a Yankee Doodle Dandy）了。

論穿過樹林採摘紫羅蘭

這根本就毫無樂趣。幾乎任何活動都比這要強。不妨探訪患病的朋友。如果不行，那就看場表演，或是躺進暖洋洋的浴缸讀上一本書。幹什麼都比一臉空洞呆板的笑容、鑽進樹林、摘花往花籃裡堆要好。接下來，你就會開始玩跳繩。紫羅蘭採下後要派上什麼用場？「怎麼？放進花瓶裡啊，」你說。回答得真蠢。如今你只要打個電話給花店訂購就行了。讓他到樹林裡去，他就是幹這行的。這樣的話，如果遭遇雷擊或是碰上蜂窩，要被送去西奈山醫院的就是花匠了。

不過，不用就此歸納說我不熱心於享受自然，雖然我也得出了結論：要想玩個痛快，什麼也比不上過節期間在Foam Rubber City家居用品店度過四十八小時。但這又是另外一回事了。

非暴力不合作小指南
A Brief, Yet Helpful, Guide to Civil Disobedience

發動一場革命需要兩個條件：革命的對象以及挺身而出發動革命的人。衣裝通常比較隨便，雙方可以靈活掌握時間和地點，但是，如有一方未能參加，整個革命大業便可能付之東流。在一六五〇年的中國革命中，雙方均未露面，結果存款都給沒收了。

反抗的對象被稱作「壓迫者」，他們很容易識別，因為一切樂趣都是他們享有。壓迫者一般穿著正式服裝，擁有土地，深夜聽收音機也沒人朝他們叫喊。他們的工作是維持「現狀」，也即一切保持原樣，雖然每兩年也許要粉刷一遍。

當壓迫者過於嚴酷時，就成了我們所熟知的警察國家，一切異見均遭禁止，如咯咯直笑、打蝴蝶結露面，或是把市長叫做「肥仔」。在警察國家，公民自由極受約束，言論自由從未聽聞，雖然也允許人對著錄音機打手勢。批評政府的看法，尤其是批評政府的舞姿，都絕不容許。新聞自由受到限制，執政黨對新聞進行「管理」，只准公民聽能夠接受、不會造成動亂的政治見解和球賽比分。

發起反叛的一方稱為「被壓迫者」，他們通常都是成群結夥閒逛，嘟囔抱怨或喊頭痛。（應該指出，壓迫者從未反叛過，若想成為被壓迫者，則要更換內衣。）

一些著名的革命如下：

法國革命：農民用武力奪權，迅速更換了宮殿門上的鎖頭，防止貴族返回。然後他們舉行了盛大晚會大吃一通。貴族重新奪回宮殿後不得不大肆清掃，並發現了許多污垢和煙頭。

俄國革命：醞釀了許多年，當農奴們發現沙皇和莎皇是同一人時，便突然爆發。

應該指出的是，革命過後被壓迫者經常把一切接收過來，開始學做壓迫者。當然，到那時已經很難讓他們接電話了，鬥爭期間他們為抽菸和吃口香糖而借的錢，也都忘光了。

非暴力不合作的各種方法：

絕食：被壓迫者不進食，直到要求得到滿足。陰險狡猾的政客常常在順手可及的地方放些比司吉或是起司；但是必須抵制這些食品。當政者若能使絕食者吃東西，那將不費多大力氣就能把反抗壓制下去。要是能讓絕食者既吃東西又付錢，那就必勝無疑。巴基斯坦曾有一次絕食，政府烹製了極為精緻的藍帶牛肉，眾人都難以抵制那麼誘人的食物。但是這類美食極少出現。

絕食的問題是，幾天後絕食者會相當飢餓，特別是聽到租來的高音喇叭卡車在街上喊「噢，雞味真香啊……噢，還有豌豆……」時，就更感飢餓。

政見不太激烈的人若要絕食，可以變通一下，不吃蔥即可。這一小小的姿態如運用得當，可極大地影響政府。眾所周知，聖雄甘地堅持不拌就吃沙拉，羞得英國政府只好做出許多讓步。除了絕食，其他的抵制方式包括：拒玩撲克牌、拒絕微笑或單腳站立。

靜坐：到一個指定地點然後坐下，但要一坐到底；否則就叫蹲著——這個姿勢沒有任何政治含意，除非政府也蹲著。（這種情況很少，雖然政府偶爾會在天冷時縮成一團。）關鍵是一直坐下去，直至得到讓步。不過如同絕食一樣，政府會動用伎倆誘使人們起身。政府會說：「好吧，都站起來，我們關門了。」或是，「你能站起來一下嗎，我們想看看你的身高？」

示威遊行：示威的關鍵之處是必須被人看見。所以叫「示威」。如果某人在自己家裡示威，嚴格來講，這不算示威，而是「犯傻」，或「形同蠢驢」。

波士頓傾茶事件是一個示威範例。該事件中，憤怒的美國人裝扮成印第安人，把英國茶葉倒入海港。過後，印第安人裝扮成憤怒的美國人，把真正的英國人扔進海港。此後英國人裝扮成茶葉，相互把自己人扔進海港。最後德國傭兵身穿《特洛伊婦女》的服裝，毫無緣由地跳入海港。

舉行示威時，可以舉著標語牌表明立場。在此推薦幾種標語：⑴降低稅收，⑵提高稅收，⑶停止向波斯人傻笑。

非暴力不合作的其他方法：

◎站在市政廳前，高喊「布丁」，直至要求得到滿足。
◎把一群羊趕到商業區堵塞交通。
◎打電話給「當局」成員，朝電話裡高唱《貝絲，妳是我的妻了》。
◎穿上警察制服玩跳繩。
◎裝扮成朝鮮薊敲打路過的行人。

福特警官的機智

Match Wits with Inspector Ford

社會名流被殺案

福特警官衝進書房。地上橫著克利福德・惠爾的屍體。死者顯然是被人從背後用槌球棍襲擊的。屍體的姿態表明，死者是在唱《蘇連多》給金魚聽時被突襲。證據顯示曾經發生激烈的爭鬥，而且還被兩次電話打斷，一次是有人打錯號碼，一次是詢問死者是否要上舞蹈課。

惠爾死之前把手指蘸進墨水瓶，寫出：「秋季大減價——清倉大拍賣！」

「到死都是個商人，」他的男傭艾夫斯謹慎地說。有意思的是，他腳上的厚底鞋反而使他矮了兩寸。

通向陽台的門開著，腳印從陽台開始，通過前廳進了抽屜。

「艾夫斯，事情發生時你在哪？」

「在廚房。正在洗碗。」艾夫斯從錢包裡取出點肥皂泡沫，作為證據。

「你聽見什麼了？」

「他和幾個人在一起，他們在爭論誰個子最高。我想我聽見惠爾先生開始又喊又唱，他的公司合夥人莫斯利喊說：『天哪，我禿頭了！』再後來，我聽見豎琴滑奏，接著惠爾先生的頭滾到了草坪。我聽見莫斯利先生威脅他說，如果惠爾先生再動他的柚子，他就不在銀行貸款上簽名。我想是他殺死惠爾先生。」

「陽台的門是從裡面開，還是從外面開？」福特警官問艾夫斯。

「是從外面開，怎麼？」

「正如我懷疑的那樣。現在我清楚了，是你殺的，不是莫斯利。」

福特警官是怎麼知道的？

因為房屋的格局，艾夫斯無法從後面接近雇主。他必須悄悄從前面湊近惠爾先生，惠爾先生於是停止演唱《蘇連多》，用球棍打艾夫斯，這種打鬧已經出現過很多次了。

可疑的謎團

沃克顯然是自殺。安眠藥吃多了。然而福特警官還是覺得有些不對勁。也許是屍體的位置：在電視機裡向外探望。地面上是一張神秘的自殺字條：「親愛的艾德娜，羊毛衣服令我發癢，所以我決定了此一生。

看好兒子，讓他做完俯臥撐。我把所有財產都留給妳，只有平頂捲邊圓帽捐給天文館。不必替我傷心，我喜歡做個死人甚於支付房租。別了，亨利。還有，此時提起可能不妥，但我還是有各種理由相信，妳哥哥正與一隻康沃爾小母雞來往。」

艾德娜．沃克緊張地咬著下嘴唇。「你怎麼看，警官？」

福特警官瞧了瞧茶几上的安眠藥瓶。「妳丈夫患失眠症多久了？」

「好幾年了。是心理上的。他總是害怕一閉上眼，市政府就會在他身上畫斑馬線。」

「明白了。他有敵人嗎？」

「不算有。除了幾個在市郊開茶館的吉普賽人。有一次他羞辱了他們，在他們安息日禮拜時戴上耳套，跳來跳去。」

福特警官注意到桌上有杯牛奶只喝了一半，還有些餘溫。「沃克夫人，你兒子在學校吧？」

「恐怕不在。上星期因行為不檢點被開除了。真讓人吃驚。他們發現他把一個侏儒泡進塔塔醬裡。這種事在常春藤學校絕不會被允許。」

「我不允許的一件事是殺人。你兒子被捕了。」

福特警官為何懷疑沃克兒子為兇手？

沃克先生口袋裡有現金。一個人要想自殺，肯定要帶上信用卡，在能簽名的地方都簽上名。

寶石被盜

玻璃罩被打碎，貝利尼藍寶石不見了。博物館裡唯一的線索是一根金黃色頭髮，還有六個指印，全都是小拇指。警衛解釋說，他值班時一個黑衣人從身後湊過來，用一份講稿擊中他的頭。就在他失去知覺之前，他覺得自己聽到一個男子的聲音說：「傑里，打電話給媽媽，」但他並不確定。盜賊顯然是從天窗進入，穿著吸力鞋順著牆走下來的，像個蒼蠅人。博物館警衛手頭總是備有碩大的蒼蠅拍以防萬一，可是這一次警衛們被愚弄了。

「誰會要貝利尼藍寶石呢？」博物館館長問，「他們不知道這顆寶石受過詛咒嗎？」

「這是怎麼回事？」福特警官馬上問道。

「這顆寶石原先是一位蘇丹的。一次他在喝湯時，一隻手從碗裡伸出來把他掐死了。寶石的下一任主人是一位英國勳爵。一天，他夫人發現他倒栽進了窗台的花盆裡。有一段時間這顆寶石杳無音訊。數年後又到了德州一個百萬富翁手中，他刷牙時突然身上起火。我們是上個月才買到這顆藍寶石，但上面的詛咒好像仍起作用，因為我們剛買來不久，博物館整個董事會就排成狂歡節隊伍，踩著舞步跳下了懸崖。」

「是這樣，」福特警官說，「這寶石可能不太吉利，可是卻價值連城。你們若想要回來，可以去漢德爾曼熟食店把倫納德·漢德爾曼抓起來。藍寶石就在他口袋裡。」

福特警官如何斷定誰偷了寶石？

前一天倫納德·漢德爾曼曾講：「嘿，我要是有顆大藍寶石，就不幹飲食業了。」

恐怖的事故

「我把我先生殺死了，」辛西婭·弗瑞姆站在雪地裡一具壯漢屍體旁哭著說。

「是怎麼回事？」福特警官直截了當地問。

「我們在一起打獵。昆西喜歡打獵，我也喜歡。我們一時走岔了。樹叢很密實。我以為看到的是一隻土撥鼠，就開了槍。當我剝皮時才發現我們其實是夫妻，已經太遲。」

「嗯，」福特警官想，看了看雪地上的腳印，「妳槍法一定很好。正中眉心。」

「噢，不好。是碰運氣。這種事我真的是個生手。」

「明白了。」福特警官查看了死者的遺物。口袋裡有些繩子，一顆一九〇四年的蘋果，還有關於醒來後發現身旁有個亞美尼亞人時該如何行事的說明書。

「弗瑞姆夫人，這是妳先生第一次遭遇打獵意外？」

「他的第一次致命意外，是的。雖然有一次在加拿大洛磯山，一隻老鷹叼走他的出生證。」

「你先生總戴著假髮嗎？」

「看狀況。通常他都帶在身邊，與人爭論不休時才拿出來。怎麼了？」

「他好像有點怪。」

「他就是怪。」

「所以妳就殺了他？」

福特警官何以知道這不是事故？

昆西・弗瑞姆這樣老到的獵手絕不會只穿內褲去打獵。實情是，弗瑞姆夫人在家裡乘他玩飯勺時用棍子把他打死，隨後把屍體拖到樹林裡，還在附近丟下一本《田野與溪流》雜誌，裝成一次打獵事故。但她匆忙中忘了給他穿上衣服。他為何只穿內褲玩飯勺，這仍然是個謎。

奇特的綁架案

餓得半死的克米特・克羅爾走進他父母家的客廳。他父母正和福特警官一起焦急地等他。

「謝謝大家付了贖金，」克米特說，「我真沒想到能活著出來。」

「將過程說給我聽聽，」警官說。

「我正在去市中心做帽樣的路上，突然一輛轎車停在身邊，兩個人問我要不要去看一匹馬背誦林肯的《蓋茨堡演說》。我說要去，就上了車。一上車我就被弄昏了，醒來時發現眼上蒙了布被綁在椅子上。」

福特警官仔細查看索要贖金的紙條。「親愛的媽媽爸爸，紙袋裡放上五萬塊錢，放在迪凱特街的橋下。要是沒有橋，就建一座。我受到的待遇還不錯，有住處，有好吃的。雖然昨晚的培根蒸蛤蜊煮得太熟了。快點把錢送過來，他們要是在幾天內聽不到消息，給我鋪床的那個人就要把我勒死。此致，科米。另：這不是開玩笑。我附上一個笑話，好讓你們看出其中的區別。」

「你被押在什麼地方的，有沒有一點點線索？」

「沒有，我只是一直聽到窗戶外邊有怪怪的噪音。」

「怪怪的？」

「是。你知道，就是那種你一對鮭魚撒謊，牠就發出的那種聲音？」

「嗯，」福特警官想了想，「你最後怎麼逃出來的？」

「我跟他們說我想去看美式足球賽，可是我只有一張票。他們說行，只要我別把蒙眼布拿下來，而且答應在午夜前回去。我同意了，可是第三節時熊隊大幅領先，於是我就離開回到這裡。」

「有意思，」福特警官說，「現在我知道了，這一綁架案是一起合謀。我確信你也參與其中，分贓贖金。」

福特警官何以知曉？

克米特・克羅爾雖然仍與父母住在一起，但他已是六十歲的人，父母更已八十歲了。真正的綁匪絕不會綁架一個六十歲的兒子，因為這毫無意義。

愛爾蘭天才詩人
The Irish Genius

維斯庫父子公司宣布出版愛爾蘭偉大詩人史恩・歐肖恩的《史恩・歐肖恩詩集注釋本》。許多人認為，他是那個時代最不可理解、因而也是最好的詩人。詩中提到大量個人經歷，所以若要讀懂他的詩作，就要熟悉他的生活，但學者們又都認為，他根本沒有生活。

下面摘錄這本詩集中的一首詩。

超逸

讓我們揚起風帆，帶著

福格蒂的下巴航向亞歷山大港；
比米許趕赴高塔時咯咯傻笑
為自己的牙床自豪。
阿伽門農曾講，「不要開門，
誰需要那麼大的木馬？」
這中間有何關聯？唯有
那位肖內西，已奄奄
一息，卻拒絕點開胃菜，雖然
他有權如此。
勇敢的比克斯比，儘管
酷似一隻啄木鳥，
可是因為沒有票據
無法從蘇格拉底那裡拿回衣裳。

怕內知道答案，但是
無人問他那個問題。
唯獨老拉弗第發問，他的
罕見惡作劇，令整世代
一窩蜂學跳森巴。
確實，荷馬雙目已盲，這正也
道出他為何會追求那些
特別的女人。
愛神安格斯和德魯伊
是人追求自由變換的
無聲證明。
布萊克也曾懷有相同夢想，
奧希金斯的衣服

在他穿著時被偷了。
文明的形狀恰似
圓圈往復循環；
而奧利里山頭的形狀則好似
一個階梯。
歡樂啊，歡樂！請不時
打電話給母親，問候周詳。

讓我們揚起風帆：歐肖恩喜歡航海，可是他從未出過海。小時候他夢想成為一個船長，但在知道了鯊魚是什麼後，就放棄了這個夢想。不過他兄長詹姆斯的確參加了英國海軍，後因向水手長出售涼拌捲心菜而被勒令退伍。

福格蒂的下巴：無疑是指喬治·福格蒂，是他說服歐肖恩成為詩人，還向他保證，即使他是詩人，今後仍會邀請他參加晚會。福格蒂出版一份雜誌，專登新詩人的詩作。雖然雜誌的讀者只有其母親，影響力卻遍及全球。

福格蒂是個性情歡快、面色紅潤的愛爾蘭人。他對歡快時光的理解是躺在大廣場上模仿一把鑷子。最後他精神崩潰，因在耶穌受難日吃一條褲子而被捕。

福格蒂的下巴被人大為恥笑，因為它小到了不存在的地步。在為吉姆·凱利守靈時，他告訴歐肖恩：「我願意拿任何東西交換大下巴。再不快點找到，我可能會魯莽行事。」福格蒂碰巧是蕭伯納的朋友，曾有一次得到准許摸摸蕭伯納的鬍子，條件是他趕快滾蛋。

亞歷山大港：歐肖恩的作品中時常提到中東。他有首詩的第一行是：「帶著泡沫前往伯利恆……」詩中諷刺地描述了一個木乃伊眼裡的旅館行業。

比米許兄弟：兩個半瘋半傻的兄弟，想通過郵寄彼此的方法，從貝爾法斯特前往蘇格蘭。

利亞姆．比米許與歐肖恩一起上耶穌會學校，但因穿著像隻水獺而被趕出學校。昆西．比米許更為內向，腦袋上一直頂著一個家具墊，直到四十一歲。

比米許兄弟常欺負歐肖恩，搶吃他的午飯。但歐肖恩寫到他們時仍很歡欣，在他最好的十四行詩《我的愛人是頭大大的氂牛》中，這兄弟倆以茶几的形象出現。

高塔：歐肖恩搬出父母家後，住在都柏林以南的一座塔裡。塔很低，大約六英尺高，比歐肖恩矮兩英寸。他和哈利．奧康納住在一起。這位朋友懷有文學志向，其詩劇《麝香牛》因演員中毒而突然中止演出。

奧康納極大地影響了歐肖恩的風格，並最終促使他相信並非每一首詩都要以「紅紅的玫瑰，藍藍的紫羅蘭」開頭。

為自己的牙床自豪：比米許兄弟的牙床極好。利亞姆．比米許可以摘掉假牙嚼生硬的花生。十六年來他天天如此，直到有人告訴他世上沒有這樣一種職業。

阿伽門農：歐肖恩對特洛伊戰爭特別著迷。他不相信一支軍隊能夠愚蠢到如此程度，竟在戰爭期間接受敵方的禮物。尤其當他們湊近木馬時，還能聽到裡面咻咻的笑聲。這段歷史似乎讓年輕的歐肖恩痛苦不已，此後一生中，每收到禮物他都小心查看，甚至當收到的生日禮物中有一雙鞋，他也要打開手電筒探照，喊一聲：「裡面有人嗎？快出來！」

肖內西：麥克・肖內西是位神秘學作家兼神秘論者。他使歐肖恩相信，保存繩子的人死後能有來生。

肖內西還相信月亮會影響人的行為，在月全食時理髮會造成不育。歐肖恩迷上了肖內西，大部分時間都用來進行神秘學研究，但他從未實現自己的最終目標：從鑰匙孔鑽進屋子。

月亮在歐肖恩晚期的詩中多次出現。他告訴詹姆斯・喬伊斯他其中一個最大的樂趣，是在月光明媚之夜把手臂浸泡在卡士達醬裡。

詩中提到肖內西拒絕點開胃菜，大概是指兩人在因尼斯弗里一起進餐的事情。一位肥胖的女士不同意肖內西關於防腐的看法，於是他就用吸管朝她吹鷹嘴豆。

比克斯比：埃蒙・比克斯比，一個倡導用腹語醫治世上苦難的政治狂人。他是蘇格拉底的大弟子，但與這位希臘哲人關於「美好生活」的看法不盡相同。他認為這實無可能，除非每個人的體重都一模一樣。

帕內知道答案：歐肖恩所指的答案是「錫」，這個問題是「玻利維亞的主要出口品是什麼？」可以理解為何沒人向帕內爾詢問這個問題；不過一次有人挑戰他，要他說出什麼是體型最大、身上長毛、有四隻蹄爪的動物，他說是「雞」，結果遭到嚴厲批評。

拉弗第：約翰・米林頓・辛格的腳病醫生。這個人物十分吸引人，和莫莉・布盧姆產生戀情，直至發現她是《尤利西斯》中的虛構人物。

拉弗第喜歡惡作劇，曾經把玉米粉和雞蛋塗在辛格的鞋墊上，結果辛格走路變得怪怪的。他的追隨者紛紛效仿，希望模仿他走路的姿態，也能寫出上好的劇本。所以有詩云：「令整世代一窩蜂學跳森巴。」

荷馬雙目已盲：對托T．S．艾略特而言，荷馬是個象徵，而歐肖恩則把艾略特視為一個「深度有餘，但寬度不足」的詩人。

兩人在倫敦排演《教堂凶殺案》（當時稱《百萬美元的大腿》）時相識。歐肖恩說服艾略特刮去鬢角，也別再想著成為西班牙舞者。兩位作家都起草了一份宣言聲明「新詩」的目標，其中一個是少寫關於兔子的詩歌。

愛神安格斯和德魯伊：歐肖恩受凱爾特神話的影響，有一首詩開篇是「貝爾的老婦人，老婦人，老婦人……」，講的是古代愛爾蘭神話中的諸神把兩個情人變成了一套《不列顛百科全書》。

自由變換：大概是指歐肖恩希望「改變人類」，因為他覺得人類墮落了，特別是賽馬騎師。歐肖恩絕對是個悲觀主義者，他認為人類不會有什麼好事，除非願意把體溫從不合理的三十六度降下來。

布萊克：與布萊克一樣是神秘主義者，歐肖恩相信不可知的力量。他的兄弟班在舔郵票時被閃電擊中，此事印證了他的想法。閃電未奪取班的性命，歐肖恩將其歸因於神助，雖然他的兄弟花了了十七年才把舌頭縮回嘴裡。

奧希金斯：帕特里哥·奧希金斯把歐肖恩介紹給波利·弗萊厄蒂，經過十年的追求後波利才嫁給歐肖恩，這十年間兩人無非就是秘密約會，講些老掉牙的俏皮話。波利從未認識到丈夫的洋溢才華，反而告訴好友說後人將不會記住他的詩歌，只會記住他吃蘋果前會尖聲叫喊的毛病。

奧利里山頭：歐肖恩在奧利里山頭向波利求婚，接著她就滾下了山。歐肖恩到醫院探訪，賦詩一首《論肉體的分解》，贏得她的芳心。

請不時打電話給母親，問候周詳：歐肖恩母親布莉姬死前曾請求兒子別再寫詩，去推銷吸塵器。歐肖恩沒有答應，一生都為焦慮和內疚所累，雖然在日內瓦國際詩歌大會上，他賣給W．H．奧登和華萊士．史蒂文斯每人一台胡佛牌吸塵器。

神話與靈獸
Fabulous Tales and Mythical Beasts

我正在編選一套四卷本的世界文學最富想像力的創作集，將由雷曼德父子出版社出版，不過，先要看挪威牧羊人罷工結果如何。以下是幾段摘錄。

神鳥奴克

奴克是隻能言善辯、身長兩寸的小鳥，總以第三人稱提到自己，比如，「牠是隻了不起的小鳥，是不是？」

在波斯神話中，如果一隻奴克鳥清早飛到窗櫺上，那麼某位親戚要麼會得到錢，要麼會在抽獎時摔斷雙腿。

據說，瑣羅亞斯德生日時曾得到過一隻奴克鳥作為禮物，儘管他實際需要的是灰褲子。巴比倫神話中也出現過奴克鳥，不過，此鳥更喜歡冷嘲熱諷，常常說：「噢，算了吧。」

一些讀者可能熟悉荷斯坦不大有名的歌劇《高湯牛排》。在這部歌劇中，一名啞女愛上了一隻奴克鳥，吻了牠，兩個就一起在屋子裡飛呀飛，直至落幕。

飛行的史諾爾

是一隻擁有四百隻眼睛的蜥蜴，兩百隻用於望遠，兩百隻用於閱讀。傳說如果一個人直盯著牠臉看，馬上就會喪失在紐澤西開車的權利。

史諾爾的墓地也是傳奇。連史諾爾自己也不知墓地在何處。它要是突然死去，就必須留在原地，直到被人撿走。

在北歐神話中，洛基想找到史諾爾的墓地，但偶然碰見了萊茵三少女在沐浴，結果得了旋毛蟲病。

＊＊＊

霍辛皇帝做了個夢，夢中看見一座宮殿，比他自己的更豪華，租金卻只有一半。穿過建築物的一扇扇大門時，他忽然發現自己的身體恢復了青春，可是腦袋仍在六十五歲至七十歲之間。他打開一扇門，又一扇門，再一扇門，他很快意識到自己已走過了一百扇門，置身後院。

霍辛皇帝正要陷入絕望，一隻夜鶯落在他肩上，唱起他聽過的最美妙的歌，唱完還啄他鼻子。

受此驚嚇，霍辛朝鏡子裡看去，不僅沒看到自己，反而看到一個在沃瑟曼配管公司工作、名叫孟德爾．戈德布雷特的人。此人指控霍辛拿走了他的大衣。

霍辛由此懂得了生活的奧秘，那就是「不要又唱又叫」。

皇帝醒來後渾身冷汗，記不得是自己做了個夢，還是正處於他的保釋擔保人的夢裡。

弗林

弗林是種海獸，身子如螃蟹，頭部如註冊會計師。

據說弗林有一副好嗓子，唱起歌來能把水手逼瘋，尤其是唱起科爾·波特的歌時。

殺死弗林會遭厄運，赫伯特·菲格爵士的一首詩寫道，一名水手殺死了一隻弗林，結果他的船在風暴中沉沒，船員們只得抓住船長把他的假牙扔進海裡，希望藉此避免沉沒。

神獸羅伊

神獸羅伊是一隻有獅子的頭和獅子身體的神話野獸，雖然不是同一隻獅子。傳說羅伊沉睡千年，有時會突然冒出火焰，尤其時當牠邊打盹邊抽菸時。

據說奧德修斯曾把一隻沉睡了六百年的神獸喚醒，牠無精打采，滿不高興，懇求在床上再睡兩百年。

羅伊的出現常被認為是凶兆，通常出現在饑荒或是得知雞尾酒會的消息之前。

＊　＊　＊

印度一位賢者跟一位魔術師打賭，說魔術師無法糊弄他。結果魔術師在賢者頭上輕輕一拍，就將他變成了一隻鴿子。鴿子飛出窗外，到了馬達加斯加，行李也轉了過去。

賢者的夫人目睹了此事，問魔術師能否把東西變成金子，而且如果可以，能否把她兄弟變成三美元現金，這樣就不至於白白度過這一天。

魔術師說，要學會這個竅門，必須遍訪地球的東西南北四個角落，還要在淡季時出發，因為有三個角落通常都預訂滿了。

夫人想了想，便啟程去麥加朝聖，但出門前忘了關瓦斯。她到那裡謁見了高等喇嘛，十七年後回來，只好立即請領社會救濟金。

（作者注：印度一系列的神話講述了人們食用小麥的原因，以上便是其中一則。）

威爾

是隻大白鼠，肚皮上印著《我是否憂傷》的歌詞。

威爾在嚙齒動物中十分特殊，因為牠可以被拿起來當作手風琴拉。

與威爾類似的是一隻小松鼠，牠會吹口哨，還跟底特律市市長有私交。

＊　＊　＊

天文學家談起無人居住的行星奎姆，這顆行星離地球如此遙遠，人若想抵達，以光速飛行將用六百萬年的時間；不過天文學家在計劃一個新的快速通道，把旅程縮短兩個小時。

奎姆行星上的溫度為零下一千三百度，所以不能洗澡，度假村已經關閉，否則如今就會有現場表演。

因為遠離太陽系中心，那裡不存在引力，要舉辦一場坐著享用的大型晚宴，需要事前大肆籌備。

除了這些障礙，奎姆行星上還沒有氧氣來維繫我們所知的生命。在那上面生活的生物發現，不兼兩份工作就很難生存。

然而人們傳說，數億萬年前那裡的環境還不太壞——至少不比匹茲堡差——也曾有過人類存在。這些人在各個方面都與我們相似，除了在通常是鼻子的地方長了顆大萵苣。他們清一色都是哲學家，特別看重邏輯；覺得如果生命存在，一定是有人促成的。所以他們一直尋找一個黑頭髮、身上紋著刺青、穿海軍厚夾克的人。

因為沒有任何結果，他們放棄了哲學，轉入郵寄行業，可是郵費上漲，他們便消失了。

輕點……真的輕一點

But Soft…Real Soft

問一個普通人《哈姆雷特》、《羅密歐與朱麗葉》、《李爾王》和《奧賽羅》誰寫的，他大都能自信地回答道：「亞芬河畔史特拉福鎮不朽的吟遊詩人。」問他莎士比亞十四行詩是誰寫的，你也聽不到任何不合邏輯的回覆。好了，同樣的問題問問近些年不時蹦出來的文學偵探，請不要吃驚，答案有法蘭西斯．培根、班．強生、伊麗莎白女王，可能還有《宅地法》。

我剛讀過的一本書中，就有一種最新的理論，力圖言之鑿鑿地證明，莎士比亞作品的真正作者是克里斯多福．馬羅。書寫得讓人十分信服，讀完後，我還真不確定莎士比亞是馬羅，還是馬羅是莎士比亞，還是什麼。但有一點我還知道，我不會為他們任何一個到銀行兌換支票——以及我喜歡他們的作品。

為了客觀看待這個理論，我的第一個問題是：莎士比亞的作品如果是馬羅寫的，那馬羅的作品是誰寫的？答案藏在莎士比亞娶了一位名叫安妮．哈瑟維的女子這個事實中。我們都知道這個屬實。然而，根據新的理論，娶了安妮．哈瑟維的實際上是馬羅，這種搭配令莎士比亞一生悲傷，因為兩人不讓他進屋。

命中注定的一天。馬羅在麵包店就誰手中的數字小與人大吵起來，結果給人殺了——或是假裝被綁架，以逃避異端的指控。因為這在當時是最大的罪行，懲罰手段要麼是殺死，要麼是綁架，要麼兩刑齊用。

就在此時，馬羅年輕的妻子接過了筆繼續寫作，寫出了我們如今都熟悉也都不想碰的劇本和十四行詩。請容我解釋。

我們都認識到，莎士比亞（馬羅）劇中的情節借自古人（今人）；不過，到了需要把情節歸還給古人時，他把情節都用光了，於是被迫離國，另取一名叫威廉・吟遊詩人（由此才有「不朽的吟遊詩人」一說），免得被關進負債人監獄（由此才有「負債人監獄」一說）。至此，法蘭西斯・培根出現了。當時培根是個發明家，正研究先進的冷藏理論。傳說他是在努力把一隻雞冷凍起來時死的。顯然是雞先攻擊他。如果事實證明馬羅和莎士比亞實為一人，為了不讓莎士比亞知曉馬羅，培根虛構了一個名字，亞歷山大・波普。而亞歷山大・波普實際上是羅馬天主教教皇亞歷山大。因作為最後一批遊牧人的吟遊詩人（他們留下了「不朽的吟遊詩人」一說）侵入義大利，教皇流亡在外，數年前趕到了倫敦，而華特・雷利正在倫敦塔內等待死期。

事情後來變得更加神秘，班・強生為馬羅安排了一次假葬禮，說服了一個不出名的詩人在葬禮上替代馬羅。不要把班・強生和塞繆爾・詹森弄混淆。他是塞繆爾・詹森，而塞繆爾・詹森不是他。塞繆爾・詹森是塞繆爾・皮普斯。皮普斯實際上是雷利，雷利從倫敦塔逃出，用約翰・彌爾頓這個名字寫了《失樂園》。詩人彌爾頓因雙目失明，碰巧逃進倫敦塔，頂著強納森・史威夫特這個名字被絞死了。當我們發現喬治・艾略特是個女子時，這一切就都明白了。

由此可見，《李爾王》不是莎士比亞所寫，而是喬叟寫的一齣諷刺時事的滑稽劇，最初的劇名是《世上無完人》，裡面暗示了是誰殺死了馬羅。在伊麗莎白（伊麗莎白・巴雷特・白朗寧）時代這個人被稱作老維克。後來我們因為寫了《巴黎聖母院》的維克多・雨果而更熟悉老維克了。大多數學文學的人都覺得，《巴黎聖母院》只不過是《科利奧蘭納斯》做了幾處明顯的改動而已。（試試兩個劇名都很快連著念。）

於是我們就想，路易斯・卡羅寫《愛麗絲漫遊仙境》時，是否在諷刺這整個事情？三月兔是莎士比亞，瘋帽匠是馬羅，小老鼠是培根。或者，瘋帽匠是培根，三月兔是馬羅，或卡羅爾、培根。小老鼠是馬羅，或者愛麗絲是莎士比亞，或培根。或者，卡羅爾是瘋帽匠。可憐的卡羅爾沒活到今天，無法了斷此事。培根，或是馬羅，或是莎士比亞，都沒活到今日。問題的關鍵是，你要是搬家，就得通知當地郵局。除非你一點也不在乎你的後代。

要是印象派畫家做了牙醫

If the Impressionists Had Been Dentists

（關於人的性情移位的遐想）

親愛的提奧，

生活對我就不能寬厚一點嗎？我是徹底絕望了！我頭痛得厲害！索爾施維默夫人要告我，因為我是按照我的感覺做她的齒橋，而不是按照她那荒謬的嘴巴！這就對了，我不能像普通手藝人那樣聽病人指揮。我覺得她的齒橋應該巨大而起伏，狂野的牙齒應該朝各個方向爆開，好像野火一樣！因為和她的口型不吻合，她很不高興！她真庸俗，真愚蠢，我真想把她揍扁！我想把一個假牙托使勁塞進去，可是它卻像個張牙舞爪的枝形吊燈齜出來。不過，我覺得挺好看的。她說她不能嚼東西了！她能不能嚼東西與我何干！提奧，我再也不能這樣下去了！我問塞尚是否願意跟我合用診所，可是他太老了，拿不住牙醫器具，只得綁在手腕上，但他又對不準，一伸進嘴裡，捅下來的牙比治好的多。怎麼辦？

文森

親愛的提奧，

這星期我拍了些X光片，覺得還不錯。竇加看了不大滿意。他說構圖不好，所有的齲齒都集中在左下角。我跟他解釋說，斯洛特金夫人嘴裡就是這樣，可是他不聽！他說，他不喜歡那個框子，紅木也太重了。他走後，我把片子都撕了！這好像還不夠，我又想給威爾瑪·扎蒂斯夫人做點根管治療，但剛做一半我就沒心情了。我突然想起來，我想做的不是根管治療！我臉紅心跳地跑出診所到外面呼吸點新鮮空氣！我昏過去好幾天，醒來時正躺在海邊！等我回到診所，她還在椅子上。我出於責任感把工作做完，但打不起精神在手術證明上簽字。

文森

親愛的提奧，

我還需要錢。我知道這對你是個負擔，可是我又有誰可求助呢？我需要錢買東西！我現在幾乎全是靠牙線來治牙，即興發揮，結果還很好！老天！我連買局部麻醉藥的錢都沒有了！今天我拔了一顆牙，只好讀德萊塞來麻醉病人。幫幫我吧。

文森

親愛的提奧，

我決定和高更一起合用診所。他是個好牙醫，擅長做齒橋，好像也喜歡我。他特別欣賞我給傑・格林格拉斯先生做的作品。你記得嗎，我補好了他下面七顆牙，可是我討厭那些補料，想再取出來。格林格拉斯先生堅決不肯，我倆就上了法庭。又出現了關於所有權的法律問題，根據律師的建議，我要了個聰明，要求擁有所有牙齒，協商後得到了補料。有人在我診所的角落看到了，要拿到外面去展示！人們已經開始談起舉辦回顧展了！

文森

親愛的提奧，

我想我和高更合用一間診所是個錯誤。他不大正常，拚命喝果味爽口水。我一說他他就發火，從牆上扯下我的牙醫證書。等他火氣消了一點，我說服他到室外去補牙。我們在芳草地上工作，身邊是綠色和金色。他為安吉拉・托娜多小姐包了牙，我為路易・考夫曼先生暫時補了牙。我們就在露天一起行醫！太陽光下盡是一排排閃亮的白牙！忽然起了風，把考夫曼先生的假髮吹進了樹叢。他衝過去搶假髮，把高更的器具撞倒了。高更說都怪我，胳膊揮了過來，卻錯打了考夫曼先生，把他推到高速牙鑽上。考夫曼先生像支火箭從我身旁飛了上去，還帶走了托娜多小姐。結果里夫金、里夫金、里夫金和梅澤扣押了我的收入。趕快給我寄點什麼過來吧。

文森

親愛的提奧，

土魯斯—羅特列克是世界上最傷心的人。他渴望成為一位偉大的牙醫，而且也擁有真正的才華。可是他太矮夠不到病人的嘴，又過於自負，不願在腳下墊東西。所以他只好高舉起兩隻胳膊，胡亂摸索病人的嘴唇四周。昨天，他給菲特爾森夫人治牙，沒把牙包好，卻包了下巴。

還有，我的老友莫內只願給非常、非常大的口腔看病，別的一概拒絕。秀拉情緒低沉，想出了一種辦法，一次只洗一顆牙，直到建立起一個照他的說法是「完整、新鮮的口腔」為止。它擁有建築的堅固性，但那是牙醫的工作嗎？

文森

親愛的提奧，

我談戀愛了。克萊兒・梅姆林上周來做口腔預防。（我寄了張明信片給她，通知說她上次洗牙後已過了六個月，雖然實際上只過了四天。）提奧，她把我搞瘋了！慾火中燒！她的咬合如此狂野，我從未見過這樣咬合的！她的牙齒排列如此完美！不像伊特金夫人，下牙比上牙突出一英寸，看上去像個狼人！不！克萊兒的牙齒正相反，十分齊整，完全吻合！看到這樣的牙齒，你就知道上帝是存在的！可是她不是過分地完美，不會無瑕到枯燥無味的地步。她下排第九顆牙與第十一顆牙間有個空隙。第十顆牙在青少年時期掉了。有一次突然毫無預兆地出現了一顆齲齒。拔除得也很容易（實際上是她說話時自己掉了下來），也從未替換上。「什麼也替換不了下排第十顆牙，」她告訴我，「那不只是顆牙，簡直就是我的一段生命。」長大後她很少再談起那顆牙。我覺得她是因為信任我才只願意跟我說起。提奧，我愛她。今天我朝她口腔裡看去，緊張得就像一個剛學牙科的年輕學生，把棉球、小鏡子都掉進去了。後來我伸出胳膊摟住她，給她演示正確的刷牙方法。這個甜甜的小傻瓜，以前刷牙是手握牙刷不動，腦袋左右搖晃。下週四我要給她用點氣體麻醉劑，然後向她求婚。

文森

親愛的提奧，

高更和我又吵起來了，去了大溪地！當時他正在給病人拔牙，我突然闖了進去。他的膝蓋頂著納特．費爾德曼先生的胸，手拿鉗子正夾住上排右邊的臼齒。和往常一樣，病人在掙扎，我不巧正趕在此時進去，問高更看沒看到我的毛氈帽子。高更一走神，沒能夾住牙，費爾德曼先生乘機從椅子上跳起，奪門逃出診所。高更發了瘋！他把我的頭按在X光機下整整十分鐘，隨後幾個小時，我的兩隻眼睛都不能同時眨眼。現在我孤獨極了。

文森

親愛的提奧，

一切都完了！今天我計劃向克萊兒求婚，因此有點緊張。她美極了，身穿白色的蟬翼紗裙，頭戴草帽，嘴裡牙齦後縮。她坐在椅子上，我把導液鈎放進她嘴裡，心跳如雷。我盡量顯得浪漫些，把燈調低了一點，找歡快的話題聊。我倆都吸了一點氣體麻醉劑。恰到好處時，我直視著她的眼睛說：「請漱口。」她大笑起來！是，提奧！她先朝我大笑，轉而生起氣來！「你以為我會為你這等人漱口？真是笑話！」我說：「請冷靜些，你不理解。」她說：「我很理解！我只聽有執照的正牌牙醫師的話才漱口！我一想到在這裡漱口就……離我遠點！」說著，她哭著跑了出去。提奧，我不想活了！我在鏡子裡看到自己的臉，真想把鏡子砸了！砸了！祝你一切都好。

文森

親愛的提奧，

是，是這麼回事。弗萊希曼兄弟珍品店裡賣的是我的耳朵。我猜這麼做挺蠢的，可是上周日我想給克萊兒送份生日禮物，偏偏每個地方都關門。好了，好了，有時我真希望自己聽從父親的話做一名畫家。雖然不刺激，但畢竟能過正常的生活。

文森

維恩斯坦

No Kaddish for Weinstein

維恩斯坦蓋著被子，無精打采地躺在床上盯著天花板發呆。外面，潮濕的空氣從人行道上升騰起來，一浪接著一浪。此時，車水馬龍的聲響震耳欲聾。除此之外，他的床著火了。瞧我這樣子，他想。五十歲了，半個世紀。明年五十一，後年五十二。用這種辦法，他能推算出今後五年他的年紀。他想，時間苦短而萬事催促。其中一件事是他想學開車。曾和他一起在拉許街上玩四面刻有希伯來字母的陀螺的阿德曼，在索邦大學攻讀開車。他技術嫻熟，已經自己開車周遊四方。維恩斯坦試過幾次開父親的雪佛蘭，但總是衝上邊道。

他十分早熟，生來就個知識分子。十二歲時，他把被一幫闖進圖書館的破壞分子翻成法文的艾略特詩作譯成英文。他的高智商令他孤獨無友，好像這還不夠似的，他還因自己的宗教信仰備受屈辱迫害，而且主要來自他父母。不錯，父親是猶太教徒，母親也是，但兩人一直不能接受自己的孩子是猶太人這個事實。「這是怎麼回事？」他父親迷惑不解地問。維恩斯坦每天早上刮臉時都想，我這臉長得是閃米特人的臉。好幾次有人把他認作是勞勃．瑞福，不過這種人都是盲人。他有個孩提時代的朋友芬格拉斯：斐陶斐榮譽學會成員、偽裝成勞工破壞工運，之後轉信馬克思主義成為一名共產鼓動家，最後因為被黨出賣，去了好萊塢為一隻著名的卡通老鼠配音。很諷刺。

維恩斯坦還一度跟共產主義者有過瓜葛。為了贏得羅格斯大學一名女孩的芳心，他搬到莫斯科參加紅軍。當他第二次約她時，她已經跟別人交往。他在俄國步兵的中士軍銜後來成了他通過安全檢查的阻礙，他因此得不到在龍翔餐館招待的開胃菜。另外，他還在學校裡領導實驗室小白鼠罷工，要求改善工作條件。事實上讓他著迷的不是政治，而是馬克思主義理論的詩歌。他確信如果人人都學會《布拖把》的歌詞，集體化就會成功。自從有一天他叔叔的鼻子在「薩克斯第五大道百貨」消失後，「國家逐漸消亡」這一說法就一直縈繞著他。他思忖著從社會革命的要義中究竟能瞭解到什麼？無非是絕不要吃了墨西哥食品後去革命。

大蕭條毀了維恩斯坦的叔叔梅爾，因為他把所有積蓄都藏在床墊裡。市場崩潰後，政府把所有床墊都收走了，梅爾一夜之間變得一貧如洗。他唯一能做的就是跳出窗外。可是他沒有那個膽量，只能坐在熨斗大廈的窗台上，從一九三年一坐到一九三七年。

「那些又喝酒又亂性的孩子，」梅爾叔叔總喜歡說，「他們知道在窗台上坐七年的滋味嗎？坐在這能看到生活！當然，人人都像個螞蟻。可是特西——願她安息——每年都在壁架上製作逾越節家宴。一家人聚在這裡過節。噢，侄子！當人類造出的炸彈能殺死比看到馬克斯・里夫金女兒就想死的人都多時，世界會變成什麼樣子？」

維恩斯坦所謂的朋友們都在眾議院非美活動委員會面前屈服了。布洛尼克被自己的母親告發，夏普斯坦被自己的電話答錄機告發。維恩斯坦被委員會傳喚去，他承認曾捐款給俄羅斯戰爭救濟基金，還說：「噢，對了，我還幫史達林買了一套餐廳家具。」他拒絕指名道姓，但表示如果委員會堅持要他講出人名，他可以講開會時見到的人的身高。到了最後他慌了，本來該援引《第五修正案》，卻援引了允許費城在周日出售啤酒的《第三修正案》。

維恩斯坦刮完臉，洗了個澡。他在身上擦好肥皂，熱水順著他寬大的後背飛濺而下。他想，此時此地，我在時間和空間的某個固定點洗澡。我，艾克・維恩斯坦，上帝的造物。忽然，他踩到肥皂，摔倒在地，腦袋撞上毛巾架。這一星期真不走運。前一天他剪了個糟糕的髮型，至今仍未釋懷。一開始理髮師剪得還不錯，可是過了不久維恩斯坦發現他剪過頭了。「放一些回去！」他蠻不講理地喊叫起來。

「我沒辦法，」理髮師說，「根本粘不上。」

「噢，那就拿給我，多明尼克！我要帶走！」

「頭髮一掉到地上就是我的了，維恩斯坦先生。」

「活見鬼！我要我的頭髮！」

他怒氣沖沖大叫，最後覺得理虧走人。非猶太人，他想。不管怎樣，他們總能整你。

現在他出了旅館，走上第八大道。兩個男子正在搶劫一位老太太。天哪，維恩斯坦想，這在以前一個人就夠了。什麼城市！到處都這麼亂。康德是對的：精神決定秩序；它還告訴你該給多少小費。能夠具有意識真是美妙！不知道紐澤西的人們都在幹什麼。

他去見哈里雅特談離婚贍養費的事。他們還是夫妻時，她就有計劃地想要跟曼哈頓電話簿上名字第一個字母是R的所有人亂搞；即使這樣他還是愛她。他原諒了她。不過，當他最好的朋友與哈里雅特在緬因州找了一棟房子，一住就是三年，更沒把行蹤告訴他時，他早該有所懷疑。他不想正視，就是這麼回事。他與哈里雅特的性生活早就停止了。他們第一次見面時他與她睡過一次；第一次登月那天晚上他們睡過一次；還有一次是在他椎間盤突出後，想試試他的背部是否完好。「哈里雅特，跟妳在一起他媽的一點也不好。」他常生氣，「妳太純潔了。每次我對妳有衝動，我都會將其昇華，到以色列種一棵樹。妳讓我想起我媽媽。」（莫莉．維恩斯坦為他操勞，做得一手芝加哥最好的牛肉餅。裡面加了一種秘密佐料，後來人們發現她放的是印度大麻。願她安息。）

在做愛的對象上，維恩斯坦需要一個性情相反的人。比方說盧安，她把性當成藝術。唯一的問題是她不脫鞋就數不到二十。一次他想送她一本關於存在主義的書，可是她把書吃了。在性生活方面維恩斯坦總覺得不對勁。首先他覺得自己太矮，他穿自己的襪子時身高五英尺四；雖然穿上別人的襪子可以達到五英尺六。他的心理分析師克萊因醫生跟他講明，跳進一列行進中的火車是自毀行為，更是敵對行為；但不管怎樣都會毀掉他的褲子摺痕。克萊因是他的第三個心理分析師。第一個是個榮格的信徒，曾建議他試試占卜板。在此之前，他也曾參加過集體治療，但輪到他講話時他頭暈目眩，只背得出所有行星的名字。他的問題是女人，他知道。任何女人大學畢業時平均分數若高於B^-，他都興奮不起來。與打字學校畢業的女人在一起他最踏實；雖然打字速度若超過每分鐘六十個字，他也會手腳慌亂無法完事。

維恩斯坦按了哈里雅特家的門鈴，她突然站在他面前。他心想還是老樣子，擴展成長頸鹿花斑[7]。這是個很私密的笑話，他倆誰也不懂。

「你好，哈里雅特，」他說。

「噢，艾克，」她說，「你別老這麼自以為是。」

她說得對。話說得真不得體。他為此憎恨自己。

「孩子們怎麼樣，哈里雅特？」

「我們從來沒有孩子，艾克。」

「所以我覺得每星期四百塊的子女撫養費太多了。」

她咬著嘴唇，維恩斯坦咬著自己嘴唇。接著，他咬她的嘴唇。「哈里雅特，」他說，「我……我破產了。雞蛋的期貨價跌了。」

「明白了。你的異教徒女孩不能幫忙？」

「對你來說，任何非猶太人的女孩都是異教徒女孩。」

「我們就不能忘了這事？」她生氣的語氣中帶著指責。維恩斯坦突然想要親吻她，或是別人也行。

「哈里雅特，我們哪裡出了毛病？」

「我們從未面對現實。」

「這不是我的錯。你說它在北邊。」

「現實是在北邊，艾克。」

「不對，哈里雅特。空想在北邊。現實在西邊。自欺欺人在東邊。路易斯安那州估計是在南邊。」

她仍然能挑起他的慾火。他想伸手碰觸她，可是她躲開了，他的手落進了酸奶油裡。

「所以你就跟心理分析師睡覺？」他的話終於蹦了出來。他一臉怒氣。他覺得要暈倒了，可是又記不起來該怎樣倒下。

7 擴展成長頸鹿花斑（Swelling to maculate giraffe）：援引自T・S・艾略特的詩作“Sweeney Among the Nightingales”。

「那是心理治療，」她冷冷地說，「佛洛伊德認為，性是通往無意識的康莊大道。」

「佛洛伊德說，夢是通往無意識的通途。」

「性，夢，你要找碴嗎？」

「再見，哈里雅特。」

沒用。Rien à dire, rien à faire.[8] 維恩斯坦離開走到聯合廣場。突然熱淚盈眶，好似大壩決堤。壓抑多年的又熱又鹹的淚水，現在都隨著不加掩飾的情感奔瀉而出。問題是淚水是從耳朵裡流出的。你看看你，他想。連哭都哭不好。他用衛生紙擦了擦耳朵，回家去了。

美好時光：一段口述回憶錄
Fine Times: An Oral Memoir

以下是即將出版的弗洛·吉尼斯回憶錄的書摘。弗洛當然是禁酒時期最富傳奇色彩的地下酒吧老闆，她的朋友都叫她大弗洛（許多敵人也這麼叫，主要是圖個方便）。這些錄音採訪展現出一個生活慾望強烈的女人、一個壯志未酬的藝術家的形象。她曾立志成為一名古典小提琴家，但發現這意味著要學小提琴時，只好放棄此一夙願。在此，大弗洛首次自我袒露。

8 Rien à dire, rien à faire.：法文，「沒什麼可說，沒什麼可做」。

剛開始，我在芝加哥寶石夜總會為小內德跳舞。內德是個精明的商人，他所有的錢都通過我們現在稱為「偷竊」的方式賺來。當然，那時與現在大不相同。是的，內德很有魅力，現在已經看不到這類型了。他最出名的就是如果你不贊同他，他會打斷你的雙腿。他說到做到，小子們。他打斷的腿多了！我敢說平均每星期他要打斷十五條或十六條腿。但是，內德對我很好，或許是因為我總是在他面前直截了當告訴他我的想法。有一次吃飯時我說：「內德，你就是一個油嘴滑舌的騙子，德行就像街貓。」他聽了大笑，但那天晚上，我看到他翻字典查「油嘴滑舌」的意思。反正就像我說的，我在小內德的寶石夜總會跳舞。我是他最好的舞女，小子們，那叫舞蹈演員。其他舞女只是跳跳而已，可是我能跳出故事來。就像剛出浴的維納斯，只不過是在百老匯和四十二街路口的夜總會一直跳到凌晨，導致冠狀動脈肥大，臉的左半邊肌肉失去控制。傷心往事啊，小子們。不過我也因此贏得了尊重。

一天，內德把我叫到他辦公室，叫了聲「弗洛」（他總是叫我弗洛，除非他真的對我發火，那他就會叫我艾伯特．施奈德曼。我根本不知道他為什麼這麼叫，只能說人心奧妙難解吧。）內德說：「弗洛，我想要你嫁給我。」這真教我大吃一驚。我像個孩子哭了起來。「我是說真的，弗洛，」他說，「我深深愛著你。我不擅長這麼說話，可是我想讓你做我孩子的母親。你要是不答應，我就打斷你的雙腿。」兩天後小內德和我結了婚。三天後內德被一群人拿機槍打死了，因為他把葡萄乾撒在艾爾．卡彭的帽子上了。

當然，之後我變得富有了。我先給爸媽買下了他們一直念念不忘的農場。他們說他們從來沒提過農場，實際上是想買輛車，買點皮草；不過他們還是試著入住。他們喜歡農村生活，雖然爸爸在北緯四十度被閃電給擊中，此後六年當人問起他姓名時，只會說「舒潔」一詞。至於我，三個月後我因為投資失敗破產了。我聽朋友的建議投資了辛辛那提的鯨魚捕撈[9]。

我在大艾德．惠勒旗下跳舞，他私釀的酒酒勁大極了，只能戴上防毒面具一口口喝。艾德每星期付我三百塊錢演出十場。這在當時可是一大筆錢。乖乖，要是加上小費，我比胡佛總統賺得還多；他還得演出十二場。我是在九點和十一點出場，胡佛是在十點和兩點出場。胡佛是個好總統，但他總是坐在更衣室哼來哼去的，弄得我煩死了。一天，頂尖夜總會老闆看了我的演出，要我到他那裡去，一星期五百元。我直截了當地跟大艾德說：「艾德，比爾．哈洛漢的頂尖夜總會給了我一份酬勞五百元的演出邀約。」

「弗洛，」他說，「你要一星期能賺五百，我不攔著你。」我跟他握握手，就去告訴比爾．哈洛漢這個好消息。可是大艾德手下的幾個人在我之前到了。等我看到比爾．哈洛漢時，他的體型已經變了，他變成了雪茄盒裡傳出的尖尖聲音。他說他決定退出這行，離開芝加哥到赤道附近定居。我就繼續為大艾德跳舞，直到卡彭一夥把他收了。小子們，我說「收了」，但實情是疤面艾爾提議給他一筆鉅款，卻被他回絕。當天稍晚他在牛排館吃午餐時，腦袋突然噴火。誰也不知道是為什麼。

我用積蓄盤下了「三張老二」[10]，一轉眼就成了城裡最熱門的娛樂場所。人們都來了：貝比．魯斯、傑克．鄧普西、艾爾．喬遜、「戰艦」[11]。「戰艦」每晚都來。老天，那匹馬真能喝！我記得有一次貝

9 辛辛那提（Cincinnati）位於內陸，根本不可能捕鯨。顯然是詐騙。

10 三張老二（Three Deuces）：諧仿歷史上由芝加哥黑幫所經營的知名妓院「四張老二」（Four Deuces）。

11 戰艦（Man o' War）：史上有名的純種賽馬。

比．魯斯迷上了一個叫凱莉．斯溫的舞女。他瘋狂迷戀到無法專心打球，還在身上塗上兩層防曬油，以為自己是穿越海峽的著名游泳健將。「弗洛，」他跟我說，「我瘋狂愛上這個紅髮女孩。可是她不喜歡體育。我騙她說我是教維根斯坦的。可是我覺得她有點懷疑。」

「沒有她你就活不成了嗎，貝比？」我問他。

「活不成，弗洛。我精神集中不起來。昨天我敲出四支安打，盜了兩次壘。可是現在是一月份，沒有比賽。我是在旅館房間裡打的。你能幫幫我嗎？」

我答應去和凱莉說說。隔天我去拜訪她跳舞的「金色屠宰場」。我說：「凱莉，小寶貝[12]對你著了魔。他知道你喜歡文化，他說你要是跟他約會，他就不打棒球，然後加入瑪莎．格蘭姆舞蹈團。」

凱莉直看著我眼睛說：「告訴那個笨手笨腳的運動員，我老遠從奇珀瓦福爾斯來此，可不是為了跟一個腦滿腸肥的右外野手廝混。我有宏圖大志。」兩年後她嫁給奧斯古德．韋林頓．塔特爾勳爵，成了塔特爾夫人。她丈夫放棄了大使職位，在老虎隊擔任游擊手，還贏得了「跳耀的喬」這個外號。他一直保有第一局獲最多觸身球的紀錄。

賭博嗎？小子們，「希臘人」尼克贏得大名時，我正好在場。有一個小賭徒叫「希臘人」傑克。尼克給我打電話說：「弗洛，我要成為『希臘人』。」我說：「對不起，尼克，你不是希臘人。紐約州賭博法也有禁令。」他說：「我知道，弗洛，可是我父母總是希望我有一天能被稱為『希臘人』。你能不能幫我跟傑克安排一次飯局？」我說：「沒問題，可是他要是知道其中的緣由就不會來。」尼克說：「試試，弗洛。這對我意義重大。」

12 小寶貝（Bambino）：貝比魯斯的暱稱。

於是這兩個人就在蒙蒂牛排烤肉館見了面。那裡原本不讓女性進入，但蒙蒂是我好友，沒把我看作男的，也沒把我看作女的，照他的說法，是「未定性的原生質」。我們點了肋骨這道特色菜。蒙蒂有個祕方讓它們吃起來像是人的手指頭。最後，尼克說：「傑克，我想叫『希臘人』。」傑克臉色變白，說：「聽著，尼克，如果你是為了這把我叫來……」好了，小子們，場面變得很難看了。兩個人摩拳擦掌。尼克說：「我告訴你我要怎麼做，我要贏死你。抽到大牌的叫『希臘人』。」

「要是我贏了呢？」傑克說，「我已經叫『希臘人』了。」

「要是你贏，傑克，你可以拿一本電話簿，上面的名字你喜歡哪個，就挑哪個。以示我的敬意。」

「一言為定？」

「弗洛做證人。」

這下子，你能覺出屋裡的緊張氣氛。送來了一副牌給他們抽。尼克抽了張Q。傑克的手在發抖。然後抽了張A！人們都歡呼起來。傑克翻開一本電話簿，挑了格羅弗·倫貝克這個名字。每個人都很高興。從那天起，女人也能進蒙蒂牛排館了，只要她們讀得懂象形文字。

我記得在冬令花園曾有一場盛大的音樂劇演出，劇名叫《星光害蟲》。喬遜主演，可是他們要他唱《雙份蕎麥片》這首歌，他不喜歡，就辭演了。歌詞中有一句是：「愛情至上，就像馬進了馬房。」反正，最後是一個叫費利克斯·布朗普頓的無名青年唱的。他後來在一家旅店被捕了，當時他屋裡有一塊一英寸的海倫·摩根人形紙板。報紙都報導了。然後，一天晚上喬遜跟迪·坎托跟來到「三張老二」。他對我說：「弗洛，我聽說喬治·拉夫特上禮拜在這跳過踢踏舞。」我說：「他從沒來過這裡。」他還說：「你要是讓他跳踢踏舞，我也要在這唱歌。」我說：「艾爾，他從沒來過這。」然後艾爾說：「他是不是有鋼琴伴奏？」我說：「艾爾，你要是唱一個音符，我就親手把你扔出去。」結果，喬遜就單腿跪下，唱起「TootToot Tootsie」。趁著他還在唱時我把那個地方賣了。等他唱完，那裡已經成了文華洗衣房。喬遜一直耿耿於懷，從來沒原諒我。因為離開時，他被一堆襯衫給絆倒了。

俚語的來源
Slang Origins

有多少人想過一些俚語究竟來自何方？比如「她是小貓的睡衣」[13]，或者「帶著它落跑」[14]。我沒想過。不過，我為對這類事情感興趣的人編了一份小指南，列舉了幾個有趣的來源。

可惜時間太短，來不及參考關於這一題目的任何皇皇大作。我只得從友人那裡獲取信息，或靠自己的常識來填補空白。

比方說，「吃塊謙遜餅」[15]。在肥仔路易統治時代，法國的烹調藝

13 她是小貓的睡衣（She’s the cat’s pajamas）：俚語，意思為「她很了不起」。
14 帶著它落跑（take it on the lam）：俚語，意思為「逃之夭夭」。
15 吃塊謙遜餅（eat humble pie）：俚語，意思為「賠罪道歉」。

術蓬勃發展，舉世無雙。法蘭西國王肥胖至極，要用吊車把他吊到王座上，再用一把大抹刀把他壓進去。平常一頓正餐（按德羅切的說法）包括一份薄煎餅，一些香菜，一頭牛，以及卡士達。食物成了宮廷的瘋狂熱潮，不許談與吃無關的任何事情，否則就處以極刑。腐敗的貴族吃掉大量食品，甚至還打扮成食品的樣子。德羅切告訴我們，蒙尚先生裝扮成一條香腸出席加冕典禮。艾蒂安・蒂斯朗幸獲教皇特許，和他最喜歡的鱈魚結成連理。甜點越來越精緻，餡餅越來越大，直到司法大臣吃一份七英尺大的「巨型派」（Jumbo Pie）時給噎死了。巨型派演變成了巨遜派（jumble pie），意思也轉成了任何丟臉的行為。後來西班牙水手把「巨遜」念成了「謙遜」（humble），旁人聽了什麼也不說，只是笑笑。

「謙遜派」源自法國，而「帶著它落跑」則來自英文。很多年前在英國，「落跑中」（lamming）是種遊戲，玩時需要一個骰子和一大管軟膏。玩家輪流擲骰子，然後在屋裡蹦蹦跳跳直到跳出血。如果有人擲出七點或以下，就要說「昆茲」（quintz）這個字，還要瘋狂地轉圈圈。如果擲出七點以上，就要分出自己的一部分羽毛分給別人，好好地「落跑中」一下。三次「落跑中」之後玩家就「庫爾」（kwirled）了，或是宣布道德破產。漸漸地，任何帶羽毛的遊戲都叫作「逃之夭夭」了，羽毛也成了「落跑中」。玩「落跑」就是指貼上羽毛。後來為何會演變成帶著羽毛，然後逃跑，其中的轉變還不大清楚。

順便一提，假如兩個玩家對遊戲規則相爭不下，可以說他們是「鑽進了牛肉」[16]。這種說法可追溯到文藝復興時代。那時，男子追求女子常拿一塊牛肉拍拍女子腦袋的一側。女子若是躲開，就說明她已經名花有主。女子若不退避，反而幫著把牛肉貼在臉上，並在上頭蹭來蹭去，就說明她願意嫁給男子。這塊牛肉則交由新娘父母保管，在特殊場合當

16 鑽進了牛肉（got into a beef）：俚語，意思為「與人相爭不下」。

帽子戴。不過丈夫若是另有新歡，妻子可以拿著這塊牛肉跑到鎮子中心廣場，喊：「此為汝之牛肉，吾棄之也，嗚呼！嗚呼！」以此解除婚姻。如果說夫妻「鑽進了牛肉」，表示他們吵了架。

還有一項婚姻習俗給了我們鏗鏘有力、色彩鮮明的鄙視方式，「順著鼻子往下看」[17]。在波斯，一位女子若是鼻子碩長，就會被視作美貌。事實上女子鼻子越長越好出嫁。但只到一定程度為限，超過限度就可笑了。男子向女子求婚時，單腿跪下，等待答復；而女子則「順著鼻子往下看著他」。如果她鼻孔扇動，就表明她接受。但如果她用磨石把鼻子削尖，啄他的脖子和肩膀，則說明她心中已經另有他人。

好了，我們都知道若有人精心打扮，我們就形容他看起來很「斯皮飛」[18]。這個說法源自奧斯瓦德．斯皮飛爵士。他大概是英國維多利亞時代最出名的花花公子。他繼承了大筆財富，但把錢都花在了服裝上。據說曾有一度，他擁有的手帕足夠亞洲所有男女老少連續不斷地擦鼻涕連擦七年。斯皮飛的創新衣著富有傳奇色彩，他是把手套戴到頭上的第一人。他的皮膚特別敏感，內衣要用最好的新斯科舍鮭魚，請特定裁縫小心切片。他行為放蕩，捲入好幾起醜聞。他最後起訴政府，爭取戴著耳套撫摸侏儒的權利。他死在奇切斯特鎮，死時身無分文，只剩下護膝和一頂寬邊草帽。

於是，看起來很「斯皮飛」成為一種贊許；而這樣的人多半會穿戴齊整去「敲打樂隊」[19]。這是世紀之交時的一種說法，起源於指揮若是在交響樂團演奏白遼士時發笑，就會被亂棒敲打的風俗。很快地，「敲打樂隊」成為一種受人歡迎的晚間活動。人們穿上最好的衣服，帶著棍棒和石頭。最後因為紐約的一場音樂會，這個風俗才壽終正寢。當時正

17 順著鼻子往下看（to look down one's nose）：俚語，意思為「瞧不起人」。
18 斯皮飛（spiffy）：俚語，意思為「瀟灑帥氣」。
19 敲打樂隊（to beat the band）：俚語，意思為「顯眼出眾」。

在演奏《幻想交響曲》，整個弦樂組突然停止演奏，拔槍和前十排的聽眾交起火來。警察趕來結束了這場混亂，但J．P．摩根的一位親戚已經傷了軟齶。此後，至少在一段時間裡，再沒人穿戴整齊去「敲打樂隊」。

你要是覺得以上這些詞源有問題，可能會攤開雙手說聲「亂彈琴」[20]。這一奇妙的說法是許多年前從奧地利傳來的。按照習俗，只要銀行業中有人宣布要和馬戲團小笨蛋[21]結婚，他的朋友們就會送他一個風箱和足夠用三年的蠟製水果。傳說里奧．羅斯柴爾德公布婚約時，人們錯給他送來一盒提琴弓。當他打開盒子發現裡面並非傳統禮物時，就大喊起來：「這都是什麼？我的風箱和水果呢？啊？我得到的只是提琴弓！」馬上，「提琴弓」就成了下層街井小民酒肆裡的笑柄，他們都恨里奧．羅斯柴爾德，因為他梳完頭總是把梳子留在頭髮裡。最終，「提琴弓」演變成「亂彈琴」，意指各式各樣的蠢事。

好了，我希望你喜歡這些俚語的起源，它們促使你去自行發現一些。倘若你還想瞭解本研究開始時介紹的「小貓的睡衣」，這個說法可追溯到蔡斯和羅韋這兩位德國蠢教授早先的滑稽戲裡面的問答。比爾・羅韋穿著特大的燕尾服，偷了某個可憐傢伙的睡衣。大衛・蔡斯身懷「聽力困難」絕技，常常問道：

蔡斯：呵，教授先生，你口袋裡鼓鼓囊囊的是什麼？

羅韋：什麼？那是某個傢伙的睡衣。

蔡斯：小貓的睡衣[22]？噢我的上帝。

20 亂彈琴（fiddlesticks）：俚語，意思為「胡扯」。

21 馬戲團小笨蛋（circus pinhead）：指侏儒。

22 重聽的蔡斯將某個傢伙的睡衣（de chap's pajamas）聽成小貓的睡衣（the cat's pajamas）。

觀眾聽到這巧妙的問答，大笑不止。要不是這個組合太早拆夥，星途將無可限量。

推薦文

當心踩到上帝的腳——獻給伍迪艾倫

蔡康永

在應該看到《花花公子》的年齡，竟然先看到了伍迪・艾倫的《不長羽毛》，這可真把當時的我嚇了一跳。

「這傢伙到底是怎麼回事哩？」那時候在念初中的我，連伍迪・艾倫的電影都沒看過，就讀到他在《紐約客》上登的這些文章，當然會納悶不已。你要是沒聽過艾爾頓強的歌，就先看到他扮成自由女神走來走去，你也會納悶個老半天。

後來終於他的電影《安妮霍爾》上演了，我們一夥初中生殺進戲院去看，看完了，總算情況有改善——起碼多幾個人陪我一起納悶了。

伍迪．艾倫說他十八歲時，第一次看到柏格曼的《裸夜》，就從此迷上柏格曼了。那是他運氣好，比初中的我年長了幾歲，加上《裸夜》裡又有個沒穿衣服的女人。

時光過去，柏格曼、伍迪．艾倫、還有我，就像豆子一樣，雖然生在不同的豆莢裡，也免不了要一起越變越老。（不過上帝有沒有變老就很難說，誰叫他從一開始就不肯刮鬍子。）

我發現自己年紀越大，就越喜歡伍迪．艾倫，這對一個男人來說，當然不希奇，一旦開始發育，本來就會喜歡越來越多人，直到變成一個老色鬼為止。奇就奇在，我喜歡的其他人，可能比伍迪．艾倫長相好看得多了。

「這傢伙，到底是怎麼回事哩？」同樣的疑問句，漸漸從納悶變成了樂趣。

除了床上發生的事情，實在很少事是能夠從納悶變成樂趣的。

太早讀到伍迪．艾倫的文章，受到傷害最大的，其實是杜斯妥也夫斯基。（紙漿漲價當然也很傷害杜斯妥也夫斯基，因為他小說人物的名字，一定都會偷偷被縮成「伊凡」之類的簡稱，結果害得他的小說被認作是馬奎斯的小說，因為家族的每個人都叫同一個名字。）

比方說，讀過伍迪．艾倫的《貪吃者手記》以後，誰還能在讀杜斯妥也夫斯基的那些手記時，不露出顏面神經中毒般的微笑？有人會說：「這沒關係！這絕對不會影響我對杜斯妥也夫斯基的敬愛，就像儘管再多人不斷把蒙娜麗莎畫上兩撇鬍子、畫成大肥婆，都不會影響我對蒙娜麗莎的敬愛一樣！」

你說的當然容易，如果蒙娜麗莎是你老婆，你看你生不生氣！

不過也有作家不像杜斯妥也夫斯基這麼容易被侮辱與損害的，比方說，就算你先讀過了伍迪．艾倫的《請大聲一點》，也未必會損害到日後你閱讀喬埃斯的態度。

除了誤以為自己是在翻電話簿的糊塗蟲之外，還有誰會去翻開喬伊斯的《芬尼根守靈夜》呢？

照這樣說起來，伍迪・艾倫其實還挺為推廣經典盡了些心力呢。若不是經他攪和，又有多少人會想起來蘇格拉底有多倒楣，普魯斯特的鼻子有多靈光哩。

就算是只讀了他的《梅特林洗衣單》和《人類邁出的一大步》，也能夠從而理解古根漢學術獎章之得來不易，以及諾貝爾科學獎背後的辛酸。

你不能說只有一直餵客人吃荷包蛋的廚子，才算是在推廣雞蛋；而一直鼓勵用奶油蛋糕砸臉的編劇，就一點功勞也沒有，對不對？

誠然伍迪・艾倫這個人，跟「人類的知識」這樣東西，一直都存在著恩怨交織的曖昧關係。知識，大大增強了女孩子對他的吸引力，卻也大大增加了他被踢出學校的機率。

只是我從來不覺得伍迪．艾倫被踢出紐約大學的校門，跟他對知識的態度有什麼絕對的關係。要怪就只能怪紐約市太好玩了，而紐約大學的校門又蓋得那麼不明顯，整座校園連片像樣的圍牆都沒有！

他當初如果運氣夠好，進的是愛荷華大學的話，我包準以他痛恨大自然和玉米田的程度，他肯定乖乖待在學校裡念到畢業，連看都不會往窗外看一眼。

沒有學位，可不表示伍迪．艾倫不愛做功課。他在文字上用功之勤，恐怕只有「不准自己在任何一頁重複任何一個字」的福樓拜堪與媲美。

就拿他那篇神品《法布里齊歐餐廳：評論與反響》來說吧，四千字不到的一篇餐廳評鑑，他用了七年、改寫了十遍才寫成。

如果伍迪．艾倫是用鮮奶油在生日蛋糕上頭擠賀辭的師傅，全美國負責生蛋的母雞都會因為他在一個月內殉職累死。

到一九八〇年為止，伍迪．艾倫出版的幾本文集中，仿諷體佔了很高的比例。顯然伍迪．艾倫對於前輩諸賢發展出來的各式文體，是愛不釋手、再三把玩，把他們都拿來玩了。

這種複雜的感情，就像快禿光的男人對頂上那剩下的頭髮一樣：既非常珍惜、又非常輕鄙，最後只好把他們梳成個可笑的髮型了事。

伍迪．艾倫後來雖然不大寫也不大拍仿諷體的東西了，但他電影中的哲學角色、宗教角色和道德角色都方興未艾、層出不窮。他心儀的文學大作，至今仍和他心愛的魔術雜書，並列架上。托爾斯泰與齊克果一覺醒來，發現隔壁竟然是逃生魔術大師胡迪尼，應該也會覺得妙不可言吧。

伍迪．艾倫從十三歲開始迷上魔術。他在那篇《庫格馬斯插曲》裡，用中國魔術箱把包法利夫人帶到紐約去；等到一九八九年的電影《大都會傳奇》，這個中國魔術箱又把男主角的老媽媽變到了紐約市上空，等到一九九〇年的電影《艾莉絲》，這個中國魔術箱又變成了中國魔術醫生閻大夫，一下幫人隱形、一下幫人招魂。

從小變戲法的伍迪．艾倫，也用電影的魔術箱把自己變到了每一個大都會的上空，把每一家的底牌都掀一掀。要是伍迪．艾倫小時候立志要當太空人，他現在肯定長駐大麥哲倫星雲了。

賴克斯在伍迪．艾倫的傳記裡，引述了伍迪．艾倫對自己人生的印象：「我年紀越大，越覺得我的一生一直是童年生活的延長，彷彿就是昨天，我還在排隊等著進教室，我整個人至今仍在那樣的兒時經驗裡面，向外頭張望著。」

說這話的伍迪．艾倫，如今八十歲了。

有這麼一號絕頂聰明的人物，搶先我三十年在人生的地雷陣裡舞蹈，實在令我興奮得要命——他先踩進創作惶恐區、他先踩進中年區、他先踩進婚姻區、他先踩進高膽固醇區、他先踩進歌德式狂戀少女區。

就算是引爆了幾枚地雷，也只像是為了他的舞步打拍子而已。不過，他未必能先踩進上帝的會客室吧就憑他拿上帝開的這麼多玩笑，上帝總得叫他在門外的沙發上等好一陣子的。

踩到他的腳時，可別笑得太明顯啊，伍迪・艾倫。

有關伍迪・艾倫的一段節目

主持人：今天我們節目要談的，是美國導演兼作家伍迪・艾倫的作品，我們請到的，是一直在攝影棚門口探頭探腦的蔡康永先生，蔡先生，你好。

蔡康永：你好。（對沒有握手這個動作，略顯懊惱。）

主：我第一個想請問的問題是，為什麼會請你來上這集節目？

蔡：呃我也不知道呃，大概是因為伍迪・艾倫最仰慕英瑪・柏格曼，英瑪・柏格曼又仰慕莎士比亞，莎士比亞又仰慕一名他始終不肯透露姓名的黑人男孩，而黑人男孩又仰慕他們家樓下的巧克力碎餅冰淇淋吧。

主：這跟你有什麼關係？

蔡：我也很愛吃巧克力碎餅冰淇淋啊。

主：那我想再請問你，伍迪．艾倫的書，最大的特色是什麼？

蔡：唔他非常喜愛「仿諷體」。

主：對不起，蔡先生，我們節目不想扯跟性有關的話題——

蔡：誰在扯跟性有關的話題啦？

主：那「仿諷體」是什麼東西？

蔡：呃，就是一邊模仿別人，一邊就模仿的過程，來開玩笑吧？

主：可以請你舉個例嗎？

蔡：唔，比方說披薩餅，披薩餅就是蔥油餅的仿諷體呀！

主：披薩餅有什麼好笑的？

（這時有人送來兩盒披薩餅進攝影棚來，棚內本來臉臭臭的一大幫人，立刻都露出笑容來。）

蔡：你看吧。

（不過因為攝影師都去挑選披薩了，因此攝影機的鏡頭垂了下來，拍到的是睡著在地板上的現場指導，而不是主持人很服氣的表情。）

主：好吧，就算我們姑、姑、姑、姑——

（由於替主持人翻大字報的製作助理，手指被披薩餅上的起司纏住，來不及翻頁，所以主持人就卡在了「姑」這個字上。幸好製作助理發現這狀況，立刻用五分鐘趁熱吃完了手上的餅，並且把手擦乾淨了，絲毫沒有在翻頁時弄髒大字報。）

主：（臉已經轉成棚內的化妝阿姨後來始終無法重現的漂亮紫色）姑、姑、姑且相信伍迪．艾倫特別愛用仿諷體吧，那他為什麼要模仿別人來逗笑？他難道不會自己發明笑話嗎？像我小學五年級時班上那個專用鼻屎來當做文章逗點的同學？

蔡：嗯，應該跟伍迪．艾倫是猶太人知識分子有很大的關係吧。你知道，猶太人跟中國人很像，老是叫小孩子要多念書，中國人還好，起碼是用書本裡的什麼黃金房屋啦、超級美女啦，來引誘你念書。猶太人可就不一樣了，念了半輩子的舊約，到老來也沒有看到上帝，也沒見到真理，結果可好啦，惹毛了一批猶太小子，發明共產主義的也來啦、發明心理分析的也來啦、發明相對論的也來啦，伍迪．艾倫不拿他讀過的書來開開玩笑，如何解心頭之恨？如何報答被壓彎的書架？如何面對越掉越多的頭髮？如何扛住偉大的猶太學術血統？如何迷惑金髮文藝少女？

主：我們說好不談跟性有關的話題的。

蔡：誰又在談性啦？你把你嘴角的白沫先擦擦乾淨吧！

（一直在熟睡的現場指導，聽見了上面那句話，以為是在講自己，趕快擦乾淨嘴角的口水爬起來，看看棚裡的鐘；喊一聲「收工嘍！」棚內立刻電源全關，轉眼間人去棚空，漆黑得連自己的手都看不見。）

主：（在黑暗中發出聲音）這下可好啦！人走得一個不剩，看你還能彷諷誰！

蔡：（在黑暗中發出聲音）彷諷誰？彷諷伍迪．艾倫啊！